Warm welcome to the Portoguese translation of this book. May it prove to be of good use for the further development of the art of movement in Brazil.

Lisa Ullmann

São Paulo
June 1978.

Que seja bem-vinda a tradução deste livro para o português. E que se mostre fértil propiciando maior desenvolvimento da arte do movimento no Brasil.

Lisa Ullmann

Dados Internacionais de Catalogação na Publicação (CIP)
(Câmara Brasileira do Livro, SP, Brasil)

Laban, Rudolf, 1879-1958.
L114d   Domínio do movimento / Rudolf Laban; ed. organizada por Lisa Ullmann [tradução: Anna Maria Barros De Vecchi e Maria Sílvia Mourão Netto; revisão técnica: Anna Maria Barros De Vecchi]. – São Paulo: Summus, 1978.

Título original: The mastery of movement.
ISBN 978-85-323-0017-1

1. Danças – Marcação 2. Movimento (Representação teatral) I. Ullmann, Lisa. II. Título.

	CDD-793.32
78-1287	-792.028

Índices para catálogo sistemático:

1. Arte do movimento : Marcação : Dança   793.32
2. Movimentos : Artes da representação   792.028
3. Movimentos : Marcação : Dança   793.32
4. Notação : Movimentos do corpo : Dança   793.32

Compre em lugar de fotocopiar.
Cada real que você dá por um livro recompensa seus autores
e os convida a produzir mais sobre o tema;
incentiva seus editores a encomendar, traduzir e publicar
outras obras sobre o assunto;
e paga aos livreiros por estocar e levar até você livros
para a sua informação e o seu entretenimento.
Cada real que você dá pela fotocópia não autorizada de um livro
financia o crime
e ajuda a matar a produção intelectual de seu país.

Domínio do movimento

RUDOLF LABAN

Edição organizada por Lisa Ullmann

summus
editorial

Do original em língua inglesa
THE MASTERY OF MOVEMENT
Copyright © 1971 by McDonald & Evans Limited
Direitos desta tradução adquiridos por Summus Editorial

Organização da edição original: **Lisa Ullmann**
Tradução: **Anna Maria Barros de Vecchi**
Maria Silvia Mourão Netto
Revisão técnica: **Anna Maria Barros de Vecchi**

Summus Editorial
Departamento editorial
Rua Itapicuru, 613 – 7º andar
05006000 – São Paulo – SP
Fone: (11) 3872-3322
http://www.summus.com.br
e-mail: summus@summus.com.br

Atendimento ao consumidor
Summus Editorial
Fone: (11) 3865-9890

Vendas por atacado
Fone: (11) 3873-8638
e-mail: vendas@summus.com.br

Impresso no Brasil

ÍNDICE

APRESENTAÇÃO DA EDIÇÃO BRASILEIRA 7

SOBRE O AUTOR 9

PREFÁCIO À PRIMEIRA EDIÇÃO 11

PREFÁCIO À SEGUNDA EDIÇÃO 14

PREFÁCIO À TERCEIRA EDIÇÃO 17

Capítulos

1. INTRODUÇÃO 19

2. MOVIMENTO E CORPO (PARTE I) 47
   ANÁLISE DE AÇÕES CORPORAIS SIMPLES

3. MOVIMENTO E CORPO (PARTE II) 88
   ANÁLISE DE AÇÕES CORPORAIS COMPLEXAS
   MOVIMENTOS RELACIONADOS A PESSOAS E OBJETOS
   CORRELAÇÃO ENTRE AÇÕES CORPORAIS E ESFORÇO

4. O SIGNIFICADO DO MOVIMENTO 132

5. RAÍZES DA MÍMICA 155

6. O ESTUDO DA EXPRESSÃO DO MOVIMENTO 194
   PRODUÇÃO DE CENAS GRUPAIS
   CENAS SIMBÓLICAS

7. TRÊS PEÇAS MÍMICAS 234
   A BUSCA DE TAMINO
   A DANÇA DOS SETE VÉUS
   O XALE DOURADO

LISTA DE TABELAS

Tabela

I	O CORPO	57
II	ESPAÇO	73
III	TEMPO	76
IV	PESO	79
V	FLUÊNCIA	86
VI	ESFORÇO	126
VII	FATORES DO MOVIMENTO	186
VIII	O DEMÔNIO	188
IX	A DEUSA	191

CENAS PARA ESTUDO

Seis Exemplos de Seqüências de Movimentos 55
Seis Exemplos de Cenas de Movimento 89
Cena de Caráter Emocional 201
Cenas em Ambientes Inusitados 201
Cenas Contendo Ações Práticas 202
Diálogos—Mímicos 202
Cenas Relativas a Movimentos e Costumes 203
Outras Fontes de Estilização do Movimento 204
Outras Quinze Cenas para Estudo 214-221

APRESENTAÇÃO DA EDIÇÃO BRASILEIRA

ESTA tradução brasileira vem de encontro à necessidade cada vez maior de fundamentar e abrir ao crescente número de interessados, os processos e a linguagem não verbal do movimento humano, segundo as idéias de Rudolf Laban.

É muito amplo o conjunto dos campos em que o conhecimento deste processo e o domínio desta linguagem tem se mostrado de grande utilidade: Educação, Psicologia, Assistência Social, Psiquiatria, Fonoaudiologia, Antropologia, Sociologia, Comunicação. Estes são apenas alguns exemplos onde hoje, no Brasil, grupos já formados nas técnicas da Arte do Movimento atuam, sem contar, com outros campos diretamente relacionados com as artes cênicas como dança profissional, TV, coreografia, teatro e cinema.

Hoje, em um país como o Brasil onde a coexistência de grupos étnico-culturais tão divergentes, que vão do índio ao mais perfeito tecnocrata, do mais erudito intelectual ao habitante da favela, constantemente colocados em confronto, a Arte do Movimento tem condições para, a partir das raízes genuínas, comuns a todos os homens, participar da procura do equilíbrio entre todos.

Espero que este livro sirva a futuras gerações de professores, na formação de alunos, e a todos os que venham a procurar informação sobre a Arte do Movimento, esperando que a esta tradução se sigam muitas outras da rica literatura sobre e de Rudolf Laban.

MARIA DUSCHENES

SOBRE O AUTOR

RUDOLF Laban nasceu na Bratislava, então pertencente à Hungria, em 1879. Por não aceitar o vazio existente nas peças de teatro e dança dessa época, trouxe para seu trabalho o resultado das próprias paixões e lutas interiores e sociais, representadas por personagens simbólicas ou estados de espírito puros, vividos através do movimento, utilizado de maneira mais espontânea e sempre como resultado consciente da união corpo-espírito.

Criou vários centros de pesquisa buscando o retorno aos movimentos naturais na sua espontaneidade e riqueza, e na plena vivência consciente de cada um deles, a acarretar um desenvolvimento amplo e profundo em quem o pratica.

Certo de que o movimento humano é sempre constituído dos mesmos elementos, seja na arte, no trabalho, na vida cotidiana, empreendeu um estudo exaustivo sobre estes elementos constitutivos e sua utilização, dando ênfase tanto à parte fisiológica, quanto à parte psíquica que levam o homem a se movimentar.

Desenvolveu uma notação de movimento capaz de registrar qualquer um de seus tipos, a "Kinetography Laban", conhecida nos EUA como *Labanotation*.

Bailarino, autor de várias coreografias famosas, renovador da dança e de seu enfoque teatral, com grupos profissionais de onde saíram os mais importantes nomes da dança expressiva européia, diretor de movimento da Ópera Estadual de Berlim e outras, dirigiu seu trabalho principalmente para a dança, como meio de educação.

Com centros na Alemanha, Suíça e outros países, foi encontrar acolhida, durante a Segunda Guerra Mundial, na Inglaterra, para seus ideais de harmonia e libertação através da vivência criativa do movimento. Nesse país empreende, juntamente com Lawrence um industrial, uma pesquisa sobre como a fluência do movimento, o ritmo natural de cada pessoa, torna-a mais apta a lidar com determinados implementos, disso surgindo uma metodologia para análise, treino e notação do "Esforço" — parte do movimento que tem sua origem interna — aplicada primeiramente na seleção e treino de operários durante a guerra.

Trabalhou com um grande número de pessoas (até 1.000) em danças conjuntas, empenhadas numa vivência comum através do movimento: Dança Coral.

Sua pesquisa e metodologia sobre o uso do movimento humano, pela profundidade e extensão, são hoje base para uma melhor compreensão do homem por meio do movimento, modernamente utilizada nos mais diversos ramos da arte e da ciência: dança, teatro, educação, trabalho, psicologia, antropologia, etc.

LISA ULLMANN

Lisa Ullmann foi estreita colaboradora de Laban durante seus últimos 20 anos, auxiliando-o no treinamento de atores, operários, no desenvolvimento da "Kinetography" e da dança educativa e sua aceitação nas escolas.

Revisou e ampliou vários livros de Rudolf Laban, e em 1946 criou o *Art of Movement Studio* em Manchester para o treinamento de bailarinos e professores, baseados na Arte do Movimento de Laban e incorporado em 1954 ao *Laban Art of Movement Center Trust* em Anddlestone, Surrey, do qual foi diretora até 1973.

Dedica-se atualmente a difundir a Arte do Movimento em cursos na Inglaterra e outros países.

Anna Maria Barros de Vecchi

PREFÁCIO À 1.ª EDIÇÃO

O LEITOR talvez já tenha ouvido falar da famosa estória chinesa da centopéia que, ficando imobilizada, morreu de inanição, porque lhe era ordenado que sempre movesse em primeiro lugar seu 78.º pé e, em seguida, que usasse suas outras patas numa determinada ordem numérica. Cita-se freqüentemente a estorinha como um aviso para aqueles que pretendem tentar uma explicação racional do movimento. Está claro, porém, que o infeliz inseto foi vítima de regulamentações puramente mecânicas, coisa que pouco tem a ver com o livre fluir da arte do movimento.

A fonte da qual devem brotar a perfeição e o domínio final do movimento é a compreensão daquela parte da vida interior do homem de onde se originam o movimento e a ação. Tal compreensão aprofunda o fluir espontâneo do movimento, garantindo uma eficaz agilidade. A premência interior do ser humano para o movimento tem que ser assimilada na aquisição da habilidade externa para o movimento.

Existe uma relação quase que matemática entre a motivação interior para o movimento e as funções do corpo; e o único meio que pode promover a liberdade e a espontaneidade da pessoa que se move é ter uma certa orientação quanto ao saber e quanto à aplicação dos princípios gerais de impulso e função.

É evidente que se trata de uma tarefa espinhosa orientar uma pessoa qualquer até que atinja o domínio total de uma atividade prática por intermédio de um texto, e isto se torna muito mais difícil quando se trata de um tema como o que ora estamos abordando. Trabalhar com o palco — espelho da existência física, mental e espiritual do homem — levanta vários problemas. Indubitavelmente, deparamo-nos aqui com algumas das razões pelas quais a abordagem do presente tema tão poucas vezes foi empreendida. Mas deve-se tentar novamente e nossa expectativa é a de que este tratado venha a ser um incentivo a outras pesquisas neste campo tão importante.

O leitor não deve aguardar a adoção, neste livro, de um elegante estilo literário, nem tampouco de uma exposição facilmente assimilável dos problemas enfocados, uma vez que pouco têm a ver entre si movimento e literatura. A Arte do Movimento é uma disciplina quase que autocontida, que fala por si mesma e principalmente se valendo de sua própria terminologia. Praticamente todas as sentenças deste texto são destinadas a promover a mobilidade pessoal, de modo que o leitor deve estar preparado para fazer uso desses incentivos. Espera-se que a própria leitura do texto indique como efetuar o que realmente é um tipo flexível de leitura. Os que preferem permanecer confortavelmente sentados em suas poltronas, enquanto lêem, terão que pular algumas partes do livro; não obstante, há consolo até para estes, pois é um de nossos propósitos o estudo deste tema tão interessante, qual seja *raciocinar* em termos de movimento. Considerar que leitura flexível implica simplesmente umas tantas cambalhotas no mundo das idéias é um erro tão grande quanto admitir que a arte do movimento no palco se restringe exclusivamente ao balé. O movimento também é um meio essencial de expressão artística no drama e na ópera, sendo igualmente um modo de satisfação e de conforto em situações de trabalho, posto que o movimento, quando cientificamente determinado, constitui o denominador comum à arte e à indústria.

Acrescentamos aos exemplos dados nos últimos capítulos uma seleção de cenas de mímica. À medida em que for tentando executar partes dessas cenas, o leitor poderá colocar em prática seu crescente conhecimento da arte do movimento.

Este livro engloba a prática e as experiências de toda uma vida, mas eu não poderia tê-lo escrito sem a constante troca de opiniões com amigos e alunos. Trata-se, conseqüentemente, de um sumário de palestras e diálogos mantidos com muitos e muitos de meus colaboradores, alguns dos quais reconhecidos internacionalmente. Meus agradecimentos, portanto, a todos aqueles que compartilharam de meu trabalho no palco e nas pesquisas que realizei no campo da Arte do Movimento. São eles por demais numerosos para que os possa mencionar individualmente; e destacar apenas uns poucos dentre eles seria injusto, desde que todos, na medida de suas possibilidades, lutaram ardentemente para que revivessem e se enriquecessem as antigas informações sobre a Arte do Movimento, procurando aplicar essas informações na vida de todo dia. Todos esses parceiros, porém, estavam presentes em minha mente enquanto eu escrevia, e a eles dedico com gratidão o que escrevi.

Vi-me compelido, neste manual para o palco (e, eventualmente, para a indústria), a me orientar segundo meu próprio estilo pessoal. A razão dessa necessidade se revelará pelo estudo do texto.

R. Laban

Manchester, 18 de janeiro, 1950

PREFÁCIO À 2.ª EDIÇÃO

COMPARANDO-SE a riqueza de evidências que Rudolf Laban coligiu durante toda sua vida referentes ao movimento humano e considerando-se a profunda compreensão que demonstrava de seu significado para a vida individual e comunitária, pouco foi o que ele publicou de seus achados. Preferia orientar pessoalmente os indivíduos no mundo do movimento; e foi um guia estupendo, pois também tinha um entendimento profundo das pessoas bem como a percepção de suas necessidades. Agora que não mais temos a possibilidade de aproveitar a orientação pessoal de Laban, seus livros bem como seus muitos apontamentos e manuscritos constituem, daqui para a frente, a única fonte de inspiração e informações sobre suas idéias e descobertas.

A primeira edição deste livro se esgotou pouco antes da morte de Laban, em julho de 1958. Era sua intenção revisar o texto para a reimpressão e havia discutido comigo as correções que desejara fazer. Contudo, não coube a ele empreender as mudanças; a tarefa recaiu sobre mim. Tenho plena consciência da grande responsabilidade que assumi ao tentar rever este livro e certamente teria me sentido ainda mais intranqüila a esse respeito, não tivesse eu conhecimento dos planos de Laban para a nova edição.

Reescrevi os capítulos sobre "Movimento e Corpo", embora tendo basicamente seguido o esquema anterior. Em várias passagens, no entanto, tive que ampliar o conteúdo, especialmente no trecho referente a "Correlação entre Ações Corporais e Esforço". Enquanto Laban, em seu livro original, deu apenas leves indicações de alguns de seus achados relativos ao movimento e ao esforço nos homens, tendo introduzido o leitor a apenas poucos elementos gerais de sua teoria, tentei apresentar explanações mais específicas desses tópicos.

Este livro foi publicado originalmente como *The Mastery of Movement on the Stage* (*O Domínio do Movimento no Palco*) mas, embora suas referências fossem endereçadas ao palco do teatro, Laban empregou-o extensamente como uma tribuna para apresentar suas idéias sobre o movimento em relação ao palco da vida humana. Refere-se ele, nesse livro, à ação dramática do teatro como "a intensificação artística da ação humana". Seguramente ficará bem claro ao leitor que essa intensificação artística nada mais é do que um incremento à arte de viver, quando se aprende a dominar o movimento. Em virtude desse fato, arrisquei-me a omitir, no título ora apresentado, o complemento "no Palco"; espero não apenas que o tema seja atraente para os que lidam com o teatro, como também que a abordagem adotada seja igualmente estimulante para os que buscam entender o movimento como força de vida.

A terminologia empregada nesta área de estudo, e que evoluiu a partir da análise de movimento de Laban, foi desenvolvida por ele e seus colaboradores no decurso de prolongados experimentos práticos e debates com muitos indivíduos ao longo de vários anos. Embora tenha sido alcançado um certo grau de clareza com o crescente conhecimento e maior experiência no assunto, devem-se esperar algumas modificações da terminologia. Tendo isto em mente, nos casos em que julguei necessário acrescentei uma definição dos termos. Aproveitei o ensejo para melhorar a composição gráfica, bem como a apresentação toda do livro, na tentativa de facilitar o seu estudo.

Gostaria, por último, de agradecer a ajuda prestada por meus alunos, que com tão boa vontade assistiram-me em vários de meus "experimentos" práticos.

Em particular, não sei como agradecer aos meus amigos e colegas que leram o texto e fizeram sugestões extremamente valiosas, tendo assim me auxiliado de modo tão generoso.

Sinceramente, espero que o leitor compartilhe comigo de meu desejo de pesquisar ainda mais profundamente este fascinante fenômeno do movimento, desejo que foi bastante estimulado quando revi este livro.

Lisa Ullmann

*Addlestone, Surrey,
outubro de 1960*

PREFÁCIO À 3.ª EDIÇÃO

FAZ, neste momento, onze anos desde a última revisão do texto deste livro e me é bem-vinda a oportunidade de uma nova edição para que emendas e ampliações possam ser introduzidas. Reintroduzi alguns parágrafos extraídos da versão original de Laban do *The Mastery of Movement on the Stage* (*O Domínio do Movimento no Palco*); outros derivam de suas anotações pessoais sobre o tema e eu reescrevi partes do capítulo 5. Houve também um certo número de correções que tiveram que ser feitas. Espero ter contribuído, com todos esses acréscimos, a um maior esclarecimento do assunto, embora com total convicção de que ainda resta muito a ser feito. O que continua sendo um desafio para mim.

LISA ULLMANN

*Addlestone,
maio de 1971*

CAPÍTULO 1

INTRODUÇÃO

O HOMEM se movimenta a fim de satisfazer uma necessidade. Com sua movimentação, tem por objetivo atingir algo que lhe é valioso. É fácil perceber o objetivo do movimento de uma pessoa, se é dirigido para algum objeto tangível. Entretanto, há também valores intangíveis que inspiram movimentos.

Eva, nossa primeira mãe, ao colher a maçã da árvore do conhecimento, executou um movimento ditado tanto por um objetivo tangível, como por um intangível. Desejava ter a maçã para comê-la, mas não apenas para satisfazer seu apetite por comida. O tentador lhe havia dito que, comendo a maçã, ela alcançaria o máximo do conhecimento: era esta sabedoria o valor fundamental a que ela aspirava.

Conseguiria uma atriz representar Eva colhendo uma maçã de uma árvore, de modo tal que um espectador totalmente ignorante da história bíblica ficasse a par de seus dois objetivos, o tangível e o intangível? Talvez não de todo convincentemente, mas a artista interpretando o papel de Eva pode colher a maçã de várias maneiras, usando movimentos de variada expressividade. Pode fazê-lo ávida e rapidamente ou lânguida e sensualmente. Pode também colhê-la com uma expressão destacada no braço estendido e na mão crispada, em seu rosto e em seu corpo. Muitas outras são as formas de ação, cada uma delas podendo ser caracterizada por um tipo diferente de movimento.

Ao definir o tipo de movimento como voraz, sensual ou destacado, não se define apenas aquilo que se viu de concreto. Aquilo que o espectador observou pode ter sido apenas um peculiar sacudir rápido, ou talvez um lento deslizar do braço. A impressão de voracidade ou sensualidade é a interpretação pessoal do espectador, conferida ao estado de espírito de Eva numa situação peculiar. Se o espectador pudesse observar em Eva o rápido movimento de agarrar no ar, quer dizer, se ele visse o mesmo movimento executado sem o objetivo concreto, provavelmente não seria levado a cogitar nem do objeto, nem do motivo. Perceberia um movimento rápido de agarrar sem compreender seu significado dramático.

É óbvio que poderá ocorrer ao espectador indagar se acaso este movimento, aparentemente sem propósito objetivo, não teria sido executado no intuito de revelar alguns traços do estado de espírito de Eva, ou de seu caráter. É pouco provável que um movimento consiga traduzir mais do que uma impressão superficial, pois jamais conseguiria oferecer um retrato definitivo de seu caráter. Por outro lado, vários outros movimentos concordantes, como por exemplo, os que incluíssem a postura e o modo de andar de Eva, antes do gesto de arrancar, ofereceriam indicações adicionais e mais claras de sua personalidade. Mas, mesmo em tais circunstâncias, a conduta de Eva no ato de colher a maçã seria menos característica de sua personalidade do que sua momentânea avidez naquele dado contexto. Em outras ocasiões, ela pode desenvolver ritmos e formas de movimento marcadamente diferentes que, comportando várias ações, a revelariam como uma pessoa sob uma luz inteiramente diferente.

O movimento, portanto, revela evidentemente muitas coisas diferentes. É o resultado, ou da busca de um objeto dotado de valor, ou de uma condição mental. Suas formas e ritmos mostram a atitude da pessoa que se move numa determinada situação. Pode tanto caracterizar um estado de espírito e uma reação, como atributos mais constantes da personalidade. O movimento pode ser influenciado pelo meio ambiente do ser que se move. É assim que, por exemplo, o meio no qual ocorre uma ação dará um colorido particular aos movimentos de um ator ou de uma atriz; serão diferentes no papel de Eva no paraíso, ou no de uma mulher da sociedade num salão do século XVIII, ou no de uma moça no balcão de um bar na favela. Todas as três mulheres podem ter personalidades semelhantes e exibir quase que as mesmas características gerais de movimento, mas elas adaptariam seus comportamentos à atmosfera da época ou ao lugar em que estivessem.

Um caráter, uma atmosfera, um estado de espírito, ou uma situação não podem ser eficientemente representados no palco sem o movimento e sua inerente expressividade. Os movimentos do corpo, incluindo movimentos das cordas vocais, são indispensáveis à atuação no palco.

Há ainda um outro aspecto do movimento que é de capital importância para a atuação dramática. Quando dois ou mais artistas vão se encontrar, no palco, devem entrar em cena, aproximar-se um do outro (seja se tocando ou mantendo uma certa distância entre si), para depois se separarem e se retirarem de cena.

O agrupamento dos atores no palco se dá através do movimento, cuja expressividade difere da do movimento individual. Os membros de um grupo se movem a fim de demonstrar seu desejo de entrar em contato uns com os outros. O objetivo ostensivo do encontro poderá ser lutar, abraçar, dançar ou simplesmente conversar. Há, porém, propósitos intangíveis, tais como a atração entre indivíduos que simpatizam entre si ou a repulsa sentida por pessoas ou grupos antipáticos uns para com os outros.

Os movimentos grupais podem ser vivos, rápidos e carregados da ameaça de agressividade, ou suaves e sinuosos como o movimento da água num lago sereno. As pessoas podem agrupar-se à semelhança de rochas de montanha, ásperas e esparsas, ou como um riacho que flui lentamente na planície. As nuvens freqüentemente se agrupam em formas bastante interessantes, de efeito dramático bem estranho. Os movimentos grupais no palco lembram de certo modo as mutáveis nuvens, das quais tanto pode se formar uma tempestade como irromper o sol.

O ator individual empregará por vezes a sua movimentação como se seus membros fossem os componentes de um grupo e esta é provavelmente a solução do enigma intrínseco à expressividade da gesticulação. Ao colher a maçã, voraz ou langüidamente, Eva expressará sua atitude através dos movimentos de partes de seu corpo; na avidez, seus braços ou até mesmo todo o seu corpo poderão rápida e ardentemente se atirar para a frente, completamente voltada em direção ao objeto ambicionado. A aproximação lânguida poderá ser caracterizada por um lento e despreocupado levantar de um braço, enquanto o resto do corpo permanece preguiçosamente curvado, distante do objeto. Quase se trata de um movimento de dança, no qual a ação externa está subordinada à sensação interna. Não há necessidade de palavras para transmitir essa sensação ao espectador.

O gesto de Eva procurando pegar a maçã ainda não constitui uma cena dramática. O drama se inicia no momento em que ela a oferece a Adão. O drama sempre se dá entre duas ou mais pessoas e é nesse contexto que o movimento grupal atinge seu nível de maior propriedade. Mesmo um solilóquio e um solo de dança são, na realidade, um diálogo entre dois pólos de uma individualidade mobilizada por reflexões pessoais ou por alterações de humor. A dualidade dos pólos se torna visível nos movimentos, os quais exibem as tensões internas.

Em cenas de amor e combate, a dualidade das emoções fica incorporada em duas pessoas. Eva oferece a Adão o fruto proibido. Seu gesto de ofertar e o dele de aceitar constituem mais do que um movimento utilitário, por meio do qual a maçã passa de um para o outro. É a formação de uma tempestade iminente que pressagia nuvens trovejantes, carregadas com o destino da raça humana. Os gestos serão menos notáveis e menos expressivos se a tempestade que se avizinha for condensada num diálogo verbal. A estória do fruto proibido representada numa dança-mímica terá um nível maior de expressividade em sua elaborada gesticulação do que se for acompanhada de palavras.

A dança pura não possui uma estória descritível. Freqüentemente é impossível esquematizar o conteúdo de uma dança em palavras, embora sempre se possa descrever o movimento. Na dança pura o espectador não poderia saber que um movimento de agarrar rapidamente no ar estaria expressando avidez ou qualquer outra emoção relativa à maçã; veria simplesmente o agarrar rápido e experienciaria seu significado por intermédio do interjogo de ritmos e formas que, na dança, contam sua própria estória, acontecimento freqüente num mundo de valores e desejos não definidos logicamente.

O movimento, em dança pura, não necessita adaptar-se aos caracteres, às ações, às épocas e às situações, mas o faz na dança-mímica que, virtualmente, é uma ação sem palavras, embora muitas vezes apoiada num fundo musical. A execução no palco de danças sociais características de um período histórico, do *status* social do povo, da ocasião e localidade da dança não pode ser considerada como dança pura. Nesta, o impulso interior para o movimento cria seus próprios padrões de estilo e de busca de valores intangíveis e basicamente indescritíveis.

A arte do movimento no palco incorpora a totalidade das expressões corporais, incluindo o falar, a representação, a mímica, a dança e mesmo um acompanhamento musical.

O drama falado e a dança musical são, contudo, florações tardias da civilização humana. O movimento sempre foi empregado com dois propósitos distintos:

a consecução de valores tangíveis em todos os tipos de trabalho e a abordagem a valores intangíveis na prece e na adoração. Ocorrem os mesmos movimentos corporais tanto no trabalho quanto na veneração religiosa, conquanto difira a sua significação em ambas as instâncias. O estender de um braço e o segurar e manejar de um objeto devem ser feitos segundo uma ordem lógica a fim de se alcançar os objetivos práticos do trabalho. Isso não se dá na adoração. Neste contexto, os gestos se seguem uns aos outros de acordo com uma seqüência completamente irracional, apesar de cada um dos gestos usados na adoração poder ser também encaixado num plano de ação de trabalho. O estender de um braço no ar pode expressar o desejo por alguma coisa que não se pode apanhar com a mão. O balançar dos braços e do corpo, que eventualmente lembrem o empunhar de um objeto, podem significar uma luta interna e se tornarem a expressão de uma prece para liberação de uma confusão interna.

O europeu perdeu o hábito e a capacidade de orar com movimentos. As genuflexões dos religiosos, em nossas igrejas, são os vestígios de preces com movimento. Os movimentos rituais de outras raças são muito mais ricos em gama e em expressividade. As civilizações contemporâneas se limitaram às orações faladas, nas quais os movimentos das cordas vocais se tornaram mais importantes do que os corporais. O falar, então, freqüentemente é levado a se transformar em canto.

Entretanto, é provável que a prece litúrgica e a dança ritual tenham coexistido há muito tempo atrás; sendo assim, é provável também que o drama falado e a dança musical tenham ambas se originado na adoração religiosa: de um lado, na liturgia, e de outro no ritual.

A complexidade total da expressividade humana, enquanto abrangida pela arte do movimento, é representada no seguinte diagrama.

Nunca sabemos se o homem se considera como participante de uma tragédia ou de uma comédia da qual ele é o protagonista no drama da existência, e a Natureza formando o coro. Não obstante, é um fato inegável que o extraordinário poder de raciocínio e de ação do homem levou-o a ocupar uma posição peculiar no que tange ao seu relacionamento com o meio que o circunda.

O homem tenta representar os conflitos que surgem do solitário papel de sua raça. O público vê, refletido no espelho da tragicomédia, um personagem que luta e que se encaminha inexoravelmente para a destruição ou para o ridículo. Parecem ser igualmente reconfortantes as lágrimas e o riso do público, para cada caso, como reações à representação das aventuras interiores e exteriores do personagem.

Esta não é uma explicação utilitarista ou uma desculpa para a ação dramática. Há mais coisas sob o manto da cooperação audiência-atores do que o divertimento proporcionado pela contemplação da miséria e da loucura humanas, um dos olhos rindo, o outro chorando. O teatro espelha mais do que nosso cotidiano de sofrimentos e alegrias. O teatro dá um "insight" na oficina na qual o poder de reflexão e de ação do homem é gerado. Esse "insight" proporciona mais do que uma compreensão mais rica da vida: oferece a experiência inspiradora de uma realidade que transcende a nossa, feita de medos e satisfações.

O que realmente acontece no teatro não se dá apenas no palco ou na platéia, mas no âmbito de uma corrente magnética entre esses dois pólos. Os atores no palco, constituindo o pólo ativo desse circuito magnético, são responsáveis pela integridade do propósito segundo o qual está sendo encenada a peça. Depende disto a qualidade da corrente estimulante entre palco e audiência.

É inegável o encanto da perfeição mecânica inerente aos movimentos da fala e da gesticulação. É um prazer enorme ouvir uma fala com boa dicção e presenciar gestos apropriados, nos quais parece ser completa a vitória do espírito sobre a matéria.

O ator individual que atinge esse nível de fascínio na representação se coloca num grau elevado da escala de perfeição. Surge, no entanto, uma questão: seria este o degrau mais alto? Um virtuose desse gênero emprega os movimentos do corpo bem como das cordas vocais, à semelhança do mais habilidoso artesão e seus instrumentos. A grande economia de esforço que caracteriza a habilidade é comum ao artesão e ao virtuose. Quanto maior a economia de esforço, menos aparente é a fadiga. Uma grande economia de esforço faz com que o movimento pareça ocorrer quase que sem esforço algum. Isto também se aplica aos movimentos que geram a voz, ouvidos mas não vistos. Os detalhes expressivos permanecem quase que acidentais neste tipo de movimento executado porque todo o esforço está concentrado na realização suave das ações necessárias ao trabalho. O ofício do artesão é trabalhar com objetos materiais, o do ator é trabalhar com seu próprio corpo e voz, empregando-os de tal modo que fiquem eficientemente caracterizados a personalidade humana e seu comportamento, variável segundo as diversas situações. Tanto o trabalho do artesão como o do ator podem ser executados habilidosamente com uma agradável e útil economia de esforço. Mas, no caso do ator, requer-se mais: ele tem que se comunicar com o público. Ele tem que estabelecer aquele contato entre palco e platéia que foi acima comparado a uma corrente magnética bipolar. É óbvio que a exibição de habilidades num dado movimento pode criar alguma modalidade de contato, por vezes até um contato mais íntimo e gratificante.

Aqui surge o problema da qualidade do contato. A integridade do propósito que postulamos anteriormente pode ser considerada como uma questão de gosto. O artista que prefere utilizar movimentos habilidosamente executados situa-se certamente mais alto na escala da perfeição. Em sua representação, o teatro se torna puro entretenimento, espelhando a felicidade, a loucura e a miséria humanas, situação na qual a audiência pode encontrar conforto e alívio do seu penar cotidiano.

Suponhamos que fosse verdadeiro o contrário. As conclusões que seriam então tiradas têm muito de interessante e fundamentam-se no exemplo de muitos artistas de primeira classe que não são virtuoses. O ator que tenta fazer mais do que representar a vida, de modo habilidoso, usa os movimentos de seu corpo e das cordas vocais com o interesse centrado naquele ponto que deseja transmitir para sua platéia e menos nas formas e ritmos externos de suas ações. Este tipo de artista concentra-se na atuação dos impulsos internos da conduta, que precedem aos seus movimentos, dando pouca atenção, em princípio, à habilidade necessária à apresentação. Resulta, deste modo, uma qualidade diferente de contato com o público, quando é enfatizada a participação interna ao invés da habilidade.

É evidente que o virtuose se verá facilmente tentado a restringir o número de seus movimentos àqueles que sejam mais adequados à sua habilidade. O outro tipo de ator estará inclinado a rejeitar todo tipo de seleção e, para ele, quase todos os exercícios de formas simples de movimento constituem mera acrobacia. Em sua tentativa de manter fluindo livremente sua movimentação espontânea, freqüentemente apresentar-se-á mais irregular e impulsivo do que o virtuose.

De um modo geral, pode-se dizer que essas duas perspectivas contrastantes se aplicam ao movimento com dois diferentes objetivos: de um lado, para a representação dos aspectos mais exteriores da vida e, de outro, para um espelhamento dos processos ocultos do ser interior.

O ator que está se esforçando para o segundo destes objetivos tem uma inclinação mais profunda e uma chance maior de penetrar nos mais remotos recessos daquilo que vimos denominando oficina de pensamento e ação. Ao situarmos este ator — dado que seja perfeito em seu próprio gênero — numa colocação superior da escala dos valores teatrais, está-se dando preferência a formas menos primitivas, e portanto mais complexas, de mentalidade e gosto. Poder-se-ia atualmente justificar até certo ponto essa preferência, porque parece que o homem contemporâneo tem necessidade de uma profunda penetração nos mais íntimos recessos da vida e da existência humana que, se trazidos à tona, poderiam ajudá-lo a recuperar algumas de suas qualidades essenciais perdidas. As pessoas que parecem ter crescido demais para a veneração da pura habilidade de movimento buscam novos alvos para seu desejo admirativo. Muita coisa depende dos dramaturgos e coreógrafos e do tipo de peça teatral e balé que apresentam, embora seja um fato que atores ou bailarinos que possuem um sentido realmente criativo de apresentação cênica tenham a capacidade de conferir a uma peça medíocre aquele aspecto revelador que lança luz sobre os recantos mais obscuros da natureza humana. Uma representação vital quase sempre decorre do reconhecimento do fato de que os meios visíveis e audíveis da expressão do artista são exclusivamente compostos por movimentos. Os movimentos utilizados em trabalhos escritos para o teatro são os corporais, os das cordas vocais e, pode-se acrescentar, os executados pelos instrumentistas da orquestra. O movimento humano com todas as suas implicações mentais, emocionais e físicas é o denominador comum à arte dinâmica do teatro. As idéias e sentimentos são expressos pelo fluir do movimento e se tornam visíveis nos gestos, ou audíveis na música e nas palavras. A arte do teatro é dinâmica, porque cada fase da representação some quase que imediatamente após ter aparecido. Nada permanece estático e é impossível realizar-se um exame demorado dos detalhes. Na música, um som sucede ao outro e o primeiro morre antes que seja ouvido o seguinte. As falas dos atores e os movimentos dos dançarinos estão todos num fluxo dinâmico contínuo, interrompido apenas por pausas breves, até que finalmente cesse de todo ao terminar o espetáculo.

As tendências controvertidas do pensamento e do sentimento dos vários personagens representados são expressas tanto em palavras como em ações na atuação teatral, que é o desempenho artístico da ação humana. Na mímica e no balé, a dinâmica de pensamentos e emoções é expressa numa forma puramente visual. Por assim dizer, são escritas no ar pelos movimentos do corpo do artista. A parte audível de um bailado, que é a música, contribui para a dança, em parte acentuando os componentes rítmicos dos movimentos corporais e, em parte, traduzindo seu conteúdo emocional em ondas sonoras. Na ópera, a fala é substituída pelo canto, daí o papel proeminente conferido à música. O movimento e sua vasta gama de manifestações visuais e auditivas não só oferece um denominador comum a todo o trabalho de palco, como também assegura os fundamentos do entusiasmo comum a todos os que participaram de sua criação.

A fluida transitoriedade dos trabalhos das artes dinâmicas tem que ser contrastada com a sólida durabilidade dos trabalhos das artes plásticas e estáticas — arquitetura, escultura e pintura — embora deva-se ter em mente que as últimas contribuem para o cenário e para o guarda-roupa. Mas a dinâmica da ação e da dança é facilmente eliminada se forem excessivamente acentuados os elementos estáticos da representação, a saber, cenário e guarda-roupa. O teatro francamente pictórico negligencia o atributo essencial do trabalho teatral que é o movimento. Este ponto fica melhor entendido se se considera a natureza intrínseca da arte estática.

Vários objetos agrupados podem suscitar num pintor, devido às suas características de forma, cor e disposição espacial, o desejo de criar uma natureza morta. Esse quadro poderá sobreviver muitos séculos ao criador e ao objeto inspirador da criação. Um trabalho artístico desse teor, no qual o artista traduziu sua idéia para uma forma estática e, conseqüentemente, permanente, preserva aquilo que de outro modo teria sido uma impressão passageira. A arquitetura pode semelhantemente sobreviver ao projetista. O arquiteto tem uma visão repentina, uma idéia intuitiva e dá-lhe corpo sólido e permanente em pedra. Igualmente, uma estátua erigida, por exemplo, num jardim, permanecerá como testemunha da beleza que uma vez inspirou o cinzel do escultor, embora tanto este quanto seu modelo tenham falecido há vários séculos.

Os trabalhos artísticos estáticos compreendem os quadros, as esculturas e edifícios de belíssima arquitetura, aos quais podemos acrescentar objetos funcionalmente úteis que levam o traço inegável do impulso genial da criação. Nessas modalidades de arte, o poder dinâmico do criador transcende na forma de seu trabalho. Os movimentos que usou para desenhar, pintar ou modelar caracterizaram suas criações e continuam imobilizados nos traços ainda visíveis de seu lápis, pincel ou cinzel. Sua atividade mental se revela na forma que conferiu ao objeto trabalhado.

O artista estático cria trabalhos que podem ser vistos como um todo e percebidos numa só olhada, ao observar-se os desenhos, quadros, esculturas e edifícios que seu gênio produziu. As gerações se sucedem e cada uma delas admira a mesma tela, o mesmo vaso, a mesma estátua ou edifício ao qual o artista atribuiu forma individual praticamente imperecível.

O efeito que um trabalho de arte estático produz sobre o espectador é genuinamente diferente daquele produzido por uma representação teatral. Frente a um quadro a mente do observador é convidada a seguir um caminho próprio. As recordações e associações de idéias conduzem a um estado de espírito contemplativo e a uma atividade interior de meditação. A platéia de um teatro, de uma mímica ou de um balé não tem oportunidade para contemplação. A mente do espectador vê-se inexoravelmente subjugada pela fluência de acontecimentos que mudam a todo instante os quais, dada uma verdadeira participação interna de sua parte, não deixam tempo disponível para a cogitação e meditação elaboradas, ambas naturais e possíveis quando se aprecia, por exemplo, um quadro ou alguma cena de beleza natural. Representações teatrais onde os elementos pictóricos do cenário e as naturezas-mortas são superenfatizados tendem a enfraquecer o interesse e a atenção do espectador ao acontecimento dinâmico, que é o elemento todo-poderoso. Essa superênfase dos elementos pictóricos e arquiteturais pode não apenas ser um perigo, como também um excessivo raciocínio analítico nos trechos de diálogo pode destruir a unidade essencial do drama. O livro dramático intelectualizado é ineficiente no palco. O pensamento analítico tende à formação de idéias estáticas e a um excesso de meditação. Quando é este o tipo de raciocínio que prevalece numa peça teatral, o fluir característico do diálogo dramático de bom nível e a ação dos elementos controvertidos vêem-se prejudicados. A mímica, elaborada com base em movimentos tanto ao nível do conteúdo quanto ao de forma, é a arte básica do teatro. Os esforços* conflitantes do homem em sua busca de valores revelam-se com maior veracidade na mímica. Excesso de palavras e excesso de música tendem a ofuscar a verdade dessa manifestação de esforço, na medida em que se torna aparente por meio das ações corporais do artista.

A mímica pura atualmente é quase que desconhecida e sua perda é algo irreparável. A arte da mímica floresceu durante os primeiros tempos da civilização humana, na adolescência da humanidade. Há valores tais como a juventude, a ingenuidade e a inocência que podem ser perdidas pelas pessoas e pelas raças e jamais poderão ser recuperadas. O mesmo acontece com certas formas de felicidade, de alegria, de inofensividade e, até certo ponto, com a beleza, a elegância e a graça, todos caracteres naturais da juventude e da inocência. A luta contínua por tais valores, que não se pode tentar ganhar nem voltar a ter, é ridícula, no cotidiano.

O milagre da recuperação desses valores que se encontram perdidos para sempre na vida diária é possível no palco. Por quê? Porque o ator ou mímico tem condições de representar um personagem e suas circunstâncias, se souber o suficiente de suas características intrínsecas de esforço. A juventude, a ingenuidade, a inofensividade, a beleza, a elegância e a graça dependem de atitudes internas e o ator pode conscientemente reproduzi-las. Isto parece ser um paradoxo mas não o é no palco, onde os valores não têm necessariamente de ser possuídos, mas configurados, o que é feito através de uma escolha e de uma formulação de qualidades adequadas de esforço. Pouco importa quem irá executar essa caracterização, contanto que seja de maneira eficaz. Vêem-se atrizes de meia-idade desempenhando

---

* Os impulsos internos a partir dos quais se origina o movimento, nesta e em outras publicações do autor são denominadas "esforço" (vide também página 51).

excelentemente os papéis de mocinhas e sendo capazes de nos transmitir a verdade a respeito da juventude e seu destino, da maneira a mais comovente. A juventude interior freqüentemente coincide com aquilo que se denomina virtude; o vício é incompatível com a inocência; não obstante, os componentes das qualidades de esforço demonstrados por uma pessoa virtuosa e por outra, viciada, são os mesmos, incluindo os mesmos elementos de movimento. A disposição dos impulsos internos que criam o movimento mostra, porém, diferenças de ritmo e tensão.

Uma das produções primitivas mais características de dança-mímica consiste em imitações de movimentos de animais. Os espíritos malevolentes ou benevolentes — viciados ou virtuosos — que governam o destino humano são representados como animais venerados ou detestados pelos membros das tribos primitivas. É útil que o ator-bailarino considere e compare os ritmos típicos de movimento de vários seres vivos, animais e homens, a fim de chegar a algum entendimento da seleção de qualidades de esforço, ou do tipo de impulsos internos apropriados aos vários personagens, situações e circunstâncias representados na mímica primitiva.

Parece que as características de esforço dos homens são muito mais variadas e variáveis do que as dos animais. Encontram-se pessoas com movimentos semelhantes aos de um gato, doninha ou cavalo, mas nunca ninguém viu um cavalo, uma doninha ou um gato exibindo movimentos semelhantes aos humanos. O reino animal é rico em manifestações de esforço, mas cada espécie animal é restrita a uma gama relativamente pequena de qualidades típicas. Os animais são perfeitos quanto ao uso eficiente dos hábitos de esforço restritos que possuem, enquanto o homem é menos eficiente no uso de modalidades de esforço mais numerosas que potencialmente estão à sua disposição. Não seria de surpreender que surgissem conflitos em maior número e intensidade nos seres humanos, dotados que são da capacidade de combinar inúmeras — e freqüentemente contraditórias — combinações de qualidades de esforço.

Os hábitos de movimentação dos mamíferos sem dúvida são os que mais de perto se aproximam aos dos homens, se comparados com os de animais de grau inferior de organização. Os hábitos humanos de movimento são mais freqüentemente comparados aos de mamíferos e talvez também aos de aves do que aos de peixes, répteis ou insetos.

Pode-se admitir que uma rua lotada de pessoas numa grande cidade sugira uma colméia ou um formigueiro, contanto que não se distingam as peculiaridades dos esforços de cada um dos indivíduos dessa rua congestionada. Não é impossível ver, num formigueiro, certas formigas dotadas de características de esforço especiais, sendo algumas mais agitadas e enérgicas do que outras. Numa rua movimentada, entretanto, pode-se distinguir mais facilmente indivíduos mais agitados e enérgicos do que outros, bem como aqueles que lembram em suas manifestações de esforço, tanto no modo de andar quanto na gesticulação, uma centena de diferentes animais. Quando se olham as expressões faciais e os movimentos das pessoas numa multidão, distinguem-se facilmente as características pessoais de esforço dos indivíduos. A multidão faz com que nos lembremos de uma reunião colorida com animais de todos os tipos. De modo algum podemos comparar uma tal reunião a um enxame de formigas, porque estas pouco ou nada se diferenciam em seus movimentos.

As faces e as mãos dos seres humanos e as cabeças e patas dos animais são muitas vezes usadas como indicativas da similaridade entre humanos e animais. As faces e as mãos dos adultos humanos podem ser consideradas como tendo sido moldadas por seus hábitos de esforço. A forma de seus corpos, incluindo a da cabeça e a das extremidades, significa talvez uma disposição natural de esforço e pode ser vista como manifestações de esforço "congeladas". As formas de natureza constitucional, porém, são muito menos reveladoras do que os movimentos, principalmente aqueles que se denominam movimentos de sombra. Estes são movimentos musculares minúsculos, tais como o erguer de uma sobrancelha, uma sacudidela de mão ou um rápido pisotear do pé, os quais apenas têm valor expressivo. São em geral executados inconscientemente e muitas vezes acompanham, à maneira de uma sombra, os movimentos da ação com objetivo, daí a denominação escolhida. Os movimentos faciais oferecem freqüentes e fortes contrastes às formas dos rostos. Feições bem moldadas podem se tornar altamente repelentes quando fazem uma careta e as pessoas mais feias podem assumir a mais agradável das expressões quando sorriem. Não há quem desconheça o fato de as expressões espelharem os conflitos interiores.

Voltando novamente às manifestações simples dos esforços em animais, pode-se dizer que cada uma de suas ordens parece ter selecionado algumas dentre os milhões de possíveis combinações de esforço e mantido as escolhidas ao longo de muitas e muitas gerações. Essas séries restritas de combinações de esforço podem ter moldado as formas corporais típicas, bem como os hábitos de movimento de várias espécies.

Algumas pessoas exibem qualidades de esforço típicas de animais, embora não se restrinjam apenas a estes em seus movimentos. Em certas ocasiões, ou por intermédio de treinamento, podem deixar de lado suas fixações mais típicas e facilmente empregarem combinações de esforços impossíveis de serem realizadas pelos animais a que se assemelham. A verdadeira essência da mímica consiste na habilidade da pessoa de alterar a qualidade do esforço, ou seja, o modo segundo o qual é liberada a energia nervosa, pela variação da composição e da seqüência de seus componentes, bem como para levar em conta as reações dos outros a essas mudanças. Mímica é o tipo de drama no qual são imitadas cenas da vida, sendo uma atividade que apenas o ser humano é capaz de executar.

Os movimentos de um gato ou felino qualquer são, na maior parte do tempo, caracterizados por uma fluência livre, o que se verifica em detrimento de movimentos mais restritos, não particularmente peculiares aos gatos. Ninguém ainda viu um gato assumir aquele andar emproado dos cavalos. Um homem que se pareça com um gato, porém, pode às vezes andar como um cavalo se o desejar e, ao fazê-lo, poderá provocar ou admiração ou ridículo.

Não é só a fluência que marca os movimentos de um gato. Quando salta, o gato também se mostrará relaxado e flexível. Um cavalo ou um veado saltarão magnificamente no ar, mas o corpo deles estará tenso e concentrado durante o salto. O corpo-mente humano produz muitas qualidades diferentes; ele tem condições de pular como um veado e, se o quiser, como um gato.

Os componentes constituintes das diferenças nas qualidades de esforço resultam de uma atitude interior (consciente ou inconsciente) relativa aos seguintes fatores de movimento: Peso, Espaço, Tempo e Fluência.

A atitude referente a estes fatores difere segundo cada espécie. É proverbial tanto a preguiça, quer dizer, uma indulgência exagerada de tempo do bicho-preguiça, quanto a pressa, ou uma corrida exagerada contra o tempo, de uma doninha. Nada no homem é mais trágico do que a preguiça indiscriminada ou a eterna pressa.

As principais características das atitudes de esforço de um ser vivo são evidentemente suas seqüências de esforço mais completas e não sua atitude frente a um único fator de movimento. Uma investigação exaustiva das seqüências típicas das qualidades de esforço em animais seria estudo para uma vida inteira. As poucas e rudimentares indicações aqui adiantadas só podem servir ao propósito de chamar a atenção para a escala real de complexidade dos esforços. O homem se coloca no topo desta escala pois tem condições para usar todas as modalidades de esforço de que um animal pode fazer uso e, como veremos mais tarde, muitas outras de sua própria criação, a saber, as combinações especiais de esforço humanas e humanitárias que podem causar, como efetivamente o fazem, reações mais terríveis do que o consegue qualquer um dos animais.

Deve-se mencionar um outro aspecto interessante. Os animais e os seres humanos mais jovens têm à sua disposição uma escala de capacidade de esforço muito mais variada que a de seus pais. Um cachorrinho, um gatinho e, em certos aspectos, um bebê, têm maior mobilidade que um cachorro, um gato ou um ser humano adultos. As características típicas de esforço do indivíduo e da espécie ainda não estão plenamente desenvolvidas no jovem. A seleção restritiva continua após o nascimento, embora a gama total de tendências típicas de esforço tenha sido herdada e vá sofrendo um processo contínuo de desenvolvimento.

A influência da história de vida e do meio ambiente durante o período seletivo do início da juventude torna-se claramente visível em certas modalidades das características finais de esforço do indivíduo amadurecido. Novamente, essas modalidades são muito mais diversificadas no homem do que nos animais, exceto os mamíferos em determinados pontos. Um animal domesticado, por exemplo, desenvolverá modalidades diferentes de configurações de esforço das desenvolvidas por um animal selvagem do mesmo gênero. A necessidade de uma luta contínua para preservar sua existência tornaria os esforços de um animal selvagem mais ricos em certo sentido, embora mais restritos em outros, do que os de um animal domesticado. Durante seu período de crescimento, os humanos são confrontados com uma luta pela vida diferente da enfrentada pelos animais e, conseqüentemente, o desenvolvimento de seus hábitos de esforço assume formas diferentes. A capacidade herdada de um indivíduo para resistir a influências retardatárias desempenha um papel relevante no resultado final.

Mas os humanos, sejam eles primitivos ou civilizados, pobres ou ricos, conseguem instituir complicadas redes de qualidades cambiantes de esforços que representam os múltiplos meios de liberar a energia nervosa que lhes é inerente. O homem tem a capacidade de compreender a natureza das qualidades e de reconhecer os ritmos e as estruturas de suas seqüências. Tem a possibilidade e a vantagem do treinamento consciente, que lhe permite alterar e enriquecer seus hábitos de esforço até mesmo sob condições externas desfavoráveis. Os animais domésticos estão perdidos se forem expostos aos rigores dos incidentes da vida na natureza livre. Animais adultos selvagens jamais poderão tornar-se inteiramente domesticados. Têm eles pequena capacidade para modificar suas condutas de esforço, mas os humanos, mesmo quando cresceram em meios primitivos, podem refinar seus hábitos de movimento se surgir a necessidade. Jovens mimados podem se transformar em homens ferozes na guerra ou em outras situações de perigo. Tais pessoas adquirem hábitos de esforço inteiramente novos e, em situações mais fáceis, são capazes de voltar aos antigos e mais suaves, se assim o decidirem. Em qualquer um dos casos, resta pouca dúvida de que as possibilidades de esforço do homem são tanto mais variadas quanto mais variáveis do que as dos animais e que é esta riqueza a fonte principal da dramaticidade de sua conduta. Poderíamos elaborar uma escala que contivesse muitos graus, onde se esboçariam as capacidades de esforço mais restritas e fixas dos animais primitivos lado a lado às atitudes de esforço potencialmente mais complexas e mutáveis do homem civilizado.

Além da riqueza comparativa da capacidade de esforço humana, pode-se notar nela uma especialidade que cabe ser denominada de esforço humanitário. Não pretendo fazer nenhum julgamento moral com esta afirmação. O esforço humanitário pode ser descrito como aquele capaz de resistir à influência de capacidades herdadas ou adquiridas. Graças a esse esforço humanitário, o homem tem condições de controlar hábitos negativos e desenvolver qualidades e inclinações que lhe possam beneficiar, apesar de influências adversas. A luta daí decorrente está cheia de implicações dramáticas.

Ficamos comovidos pela sugestão de esforços quase humanitários de devoção, sacrifício ou renúncia que os animais exibem, o que pode ou não estar fundamentado em fatos concretos. Mas o que assumimos como certo é que todo homem é capaz, e quase que obrigado, a fomentar esses tipos de esforço. O esforço humanitário é considerado de perto quando se trata do estudo e do treinamento de movimentos. Não obstante, é manifestação das mais importantes e talvez mesmo a própria fonte da possibilidade da educação do movimento, o que é da mais capital importância não somente para o ator-bailarino, como também para o desenvolvimento pessoal de todo indivíduo.

Não há dúvida de que os instintos comunitários do homem desenvolveram características que diferem extensamente dos instintos simplesmente herdados dos animais. Se se investigar o crescimento do senso comunitário no homem, descobrir-se-á que na base do seu desenvolvimento histórico existe um tipo especial de treinamento de esforço do qual os animais são incapazes. Esses estranhos hábitos do homem, que não podem ser inteiramente explicados como adaptação às circunstâncias e ao meio ambiente, são o resultado de um refinamento consciente do esforço. Os animais fazem uma escolha instintiva de qual esforço manifestar em resposta ao seu impulso inato para assegurar sua vida individual e racial. A seleção que o homem faz das suas seqüências de esforço não mais parece ser totalmente inconsciente; ele tem a capacidade de coordenar uma gama de possibilidades de esforço vastamente maior do que a de qualquer outro animal e esta gama ultrapassa as necessidades da mera sobrevivência.

No palco, o homem expressa sua atitude mental peculiar escolhendo com cuidado as configurações de esforço adequadas e realiza uma espécie de ritual comunitário na apresentação de conflitos que decorrem de diferenças nestas atitudes internas. Ao domesticar os animais, o homem aprendeu como lidar com o esforço e como alterar os hábitos de esforço dos seres vivos. Na aplicação dos princípios de domesticação dos animais a ele mesmo, estendeu o raio de ação de treinamento do esforço até a criação de trabalhos de arte dinâmica. O homem tem condições de domesticar o seu semelhante não apenas na condição de escravo, mas também na de um companheiro feliz; por último, aprendeu a se domesticar, treinando e desenvolvendo seus próprios hábitos pessoais de esforço, tanto engrandecendo-os quantitativamente, quanto dirigindo-os qualitativamente cada vez mais no sentido de se tornarem esforços humanitários específicos. É deveras impressionante o modo pelo qual o homem alcançou esse tipo de educação do esforço, tendo seu paralelo na evolução dos hábitos de esforço animais.

Os animais jovens aprendem, conquanto independentemente de um controle consciente, a selecionar e desenvolver suas qualidades de esforço por meio das brincadeiras. Ao brincarem, os animais simulam todos os tipos de ações que lembram de maneira muito marcante as ações reais que terão necessidade de praticar quando tiverem que se sustentar no futuro. Caçar, lutar e morder parecem estar indicados em seus movimentos, mas eles não caçam, nem lutam ou mordem de fato, ou, pelo menos, não com o propósito de obter comida. Nos animaizinhos jovens e em crianças denominamos tal atitude de brinquedo e, nos indivíduos adultos, dança e representação. Na brincadeira, experimentam-se, selecionam-se e escolhem-se as seqüências de esforço que melhor se ajustem, por exemplo, a uma luta ou caça bem-sucedidas. O animal jovem, bem como a criança, experimenta todas as situações imagináveis: ataque, defesa, tocaia, ardil, vôo, medo, e sempre a coragem é exibida. Acompanha estes experimentos a busca das melhores combinações possíveis de esforço, para cada ocasião. O corpo-mente fica treinado para reagir de imediato, por meio de configurações de esforço cada vez mais aprimoradas, a todas as demandas das várias situações, até que se automatize a adoção da melhor delas. Os métodos de luta e caça de um gato adulto não se encontram plenamente desenvolvidos num gatinho pequeno, mas o impulso para lá chegar já é discernível desde os primeiros movimentos do animalzinho. É o que ocorre também com um cachorro pequeno, com um cordeirinho ou com qualquer outro animal jovem. A brincadeira é de grande valia para o crescimento da capacidade de esforço e para sua organização.

Nada nos impediria de rotular essas brincadeiras de atuação dramática acrobática, não estivessem as palavras *atuação* e *drama* reservadas para a exibição consciente do homem, no palco, de situações da vida. Há também uma diferença aí, no sentido de que a representação no palco exige um espectador a quem possa o ator se dirigir, ao passo que ao brincarem, o cachorrinho, o gatinho e a criança não têm qualquer preocupação com a presença ou não de platéia. O brinquedo dos animais mais jovens, desta maneira, aproxima-se mais da dança que da representação, posto que a dança nem sempre exige público. Se as crianças e os adultos dançam, quer dizer, se executam certas seqüências de combinações de esforço para seu próprio prazer, não é necessária audiência. Nesse sentido, a dança é um exercício mais genuíno de esforço do que a representação. A dança, ou pelo menos aquilo que hoje em dia chamamos de dança, é porém diferente da representação e nem por isso, em si mesma, é uma arte teatral.

Na dança não fica tão evidente a semelhança com os conflitos da vida. A dança é o jogo estilizado que não se relaciona diretamente com a conduta de esforço dramática. Alguns animais dançam, o que quer dizer que aprenderam a estilizar seus jogos do mesmo modo que o homem. Se estudamos as descrições exaustivas dos movimentos de aves e macacos, observados pelos cientistas, ficamos surpresos diante da semelhança destes movimentos com a dança humana. Enquanto que no decorrer das brincadeiras as qualidades de esforço dessas criaturas estão misturadas de maneira quase que irregular e casual, nas danças humanas encontram-se graciosamente escolhidas, trabalhadas e separadas. Repetições regulares de seqüências de esforço formam frases rítmicas que são repetidas com exatidão. Aquilo que pretendem os animais que dançam permaneceria um enigma se não assumíssemos que a atividade toda toma a forma de uma seleção e treinamento de esforços mais ou menos conscientes.

É um fato bem conhecido que as brincadeiras e danças das tribos primitivas originaram-se de tentativas de torná-las, por si mesmos, mais conscientes de certas combinações escolhidas de esforços. Além da tomada de consciência, ou melhor, combinada com ela, está a fixação, na memória e nos hábitos de movimento, da combinação de esforços escolhida. Trata-se de uma construção muito singular de idéias acerca das qualidades dos movimentos e de seu uso. Talvez não seja muito inusitado introduzir aqui a idéia de se pensar em termos de movimento, em oposição a se pensar em palavras. O pensar por movimentos poderia ser considerado como um conjunto de impressões de acontecimentos na mente de uma pessoa, conjunto para o qual falta uma nomenclatura adequada. Este tipo de pensamento não se presta à orientação no mundo exterior, como o faz o pensamento através das palavras mas, antes, aperfeiçoa a orientação do homem em seu mundo interior, onde continuamente os impulsos surgem e buscam uma válvula de escape no fazer, no representar e no dançar.

O desejo que o homem acalenta de orientar-se no labirinto de seus impulsos resulta em ritmos de esforço definidos, tais como os praticados na dança e na mímica. As danças regionais e nacionais são criadas pela repetição destas configurações de esforços, na medida em que são características da comunidade. Essas danças mostram a gama de esforços cultivada pelos grupos sociais que vivem num meio ambiente definido. A lânguida e onírica dança de uma oriental, a orgulhosa e apaixonada dança de uma espanhola, a dança temperamental de uma italiana do sul, a bem-medida dança em círculos dos anglo-saxões são exemplos das manifestações de esforço selecionadas e aprimoradas durante largos períodos da história até que finalmente se tornaram expressivas da mentalidade de grupos sociais particulares. Um observador de danças regionais e nacionais pode obter muitas informações quanto ao estado de espírito ou traços de caráter preferidos e desejados por uma comunidade em particular. Em tempos bem antigos, estas danças eram um dos meios principais de ensinar ao jovem como adaptar-se aos hábitos e costumes de seus antepassados. Neste sentido, estão em íntima conexão tanto com a educação quanto com o culto e religião ancestrais.

 A imperiosa necessidade de brincar e dançar expandiu-se, em conseqüência, numa variedade estonteante de tradições de movimentos, em todos os campos da atividade humana. A dança tem sido empregada como um agradável estímulo ao trabalho, principalmente em trabalhos rítmicos de equipe, tendo se transformado em acessório da luta, da caça, do amor e de muito mais atividades. Foi na dança, ou pensamento por movimentos, que o homem a princípio se apercebeu da existência de uma certa ordem em suas aspirações superiores por uma vida espiritual. Inconscientemente, aprendeu quais eram os fatores contraditórios e de equilíbrio de suas ações, mas não sabia como usá-los, nem tampouco controlá-los.

Nas danças religiosas, o homem representava esses poderes sobre-humanos os quais, segundo entendia, dirigiam os acontecimentos da natureza, e determinavam o seu destino pessoal bem como o de sua tribo. A seguir, o homem conferiu uma expressão física a certas qualidades por ele observadas nesses poderes sobre-humanos e, ao elaborar essas personificações das ações de esforço, o homem primitivo descobriu a harmonização do rumo dos acontecimentos; através de seu pensamento-movimento, caracterizou então o poder subjacente a tudo como um deus de gesticulação deslizante. Deslizar* é, essencialmente, um movimento sustentado e direto, com o toque leve. Ao deslizarem, o homem e sua divindade envolvem-se na experiência da infinitude do tempo e da cessação do peso da gravidade, embora estejam ambos atentos para a clareza dimensional de seus movimentos. Muitas danças dos aborígenes da África, da Ásia, da Polinésia e da América exibem este aspecto de deslizar em suas danças rituais e as pinturas e estátuas de seus deuses são representadas por figuras que estão fazendo gestos de deslizar. Deuses que flutuam acima das águas demonstram no ritual, ou representação pictórica, uma atitude complacente em relação aos fatores de: Tempo, Peso e Espaço no movimento. Flutuar* é um movimento leve e flexível que espelha um estado de espírito de semelhante conteúdo.

Os malignos deuses da morte e da violência são figuras representadas com ações de esforço, como soco*, perfuração e compressão, sendo que todos se tratam de movimentos firmes e diretos que ocorrem, ora subitamente, ora gradualmente.

As resplandecentes divindades da alegria e da surpresa são freqüentemente caracterizadas, nas danças, por movimentos de sacudir* e fremir. Aqui, a sensação de leveza se casa a uma indulgência com espaço, que é evidenciada na flexibilidade e na plasticidade dos mo-

---

* N. da T. — O significado desses termos é explicado depois (N. do A.).
Gliding, Floating e *Thrusting*, respectivamente, no original.

vimentos. Aparições e desaparições súbitas conferem aos movimentos de sacudir e fremir a sua luminosidade.

Segundo a concepção do homem primitivo, os deuses eram os iniciadores e também os incitadores do esforço em todas as suas configurações. E, além disso, eram os símbolos das várias ações de esforço. Havia danças que representavam deuses que torciam*, cujos movimentos eram flexíveis e falavam da gradual passagem do tempo, e apesar disso eles eram fortes e firmes. Havia deuses que talhavam*, que lutavam contra o tempo e contra o peso com ligeireza e poderosa resistência e, não obstante, eram flexíveis no espaço, ou seja, facilmente se adaptavam às mudanças da forma.

Os espíritos e gnomos, cujos movimentos se imagina serem súbitos e diretos, mas também gentis, são muitas vezes caracterizados em danças pontuantes*.

A estranha poesia do movimento, que acabou sendo expressa na dança sacra, capacitou o homem a organizar suas ações de esforço segundo uma ordem que, em última instância, é válida e compreensível ainda hoje. Somente o homem tornou-se consciente da existência dos deuses, quer dizer, o homem é o único ser vivo que tem consciência de suas ações e é responsável por elas; deste modo, tornou-se o rei das criaturas e o senhor da Terra. As convenções das várias formas de ordem política e econômica, na sociedade humana, surgiram da percepção do esforço nas danças regionais e nacionais. Ao ensinar suas crianças e ao iniciar os adolescentes, o homem primitivo tentou transmitir padrões morais e éticos, por intermédio do desenvolvimento do raciocínio em termos de esforço, na dança. Nessa época tão remota a introdução do jovem ao esforço humanitário constituiu a base de toda a civilização.

Contudo, durante um longo período o homem não foi capaz de descobrir a conexão entre seu pensamento-

---

* N. da T. — O significado desses termos é explicado depois (N. do A.). *Flicking, Wringing, Slashing* e *Dabbing*, respectivamente, no original.

movimento e sua palavra-pensamento. As descrições verbais do pensamento-movimento encontraram sua possibilidade de expressão apenas na simbologia poética. A poesia, descrevendo os acontecimentos de deuses e ancestrais, foi substituída pela simples expressão do esforço, na dança. A era científica do homem industrial ainda tem que descobrir os modos e meios que nos capacitem a penetrar no domínio da tradução mental do esforço e da ação, a fim de que as linhas comuns das duas modalidades de raciocínio consigam finalmente reintegrar-se em uma nova forma. Os velhos métodos de conscientização e treinamento do esforço certamente auxiliarão a investigar os movimentos dos atores. Deve-se esperar que a mímica, enquanto atividade expressiva do esforço, além de uma atividade criadora fundamental do homem, volte novamente a ser um fator importante do progresso civilizado, após o longo período em que foi negligenciada, quando seu sentido e significado verdadeiros tiverem sido readquiridos. O valor de uma caracterização por intermédio de movimentos de mímica semelhantes à dança reside no evitar-se a simples imitação das peculiaridades dos movimentos externos, pois uma imitação deste teor não penetra nos mais remotos recantos do esforço interior do homem. Temos necessidade de um símbolo autêntico da visão interna que efetue contato com o público e ele só é atingido quando se aprendeu a raciocinar em termos de movimento. O problema fundamental do teatro é aprender como usar esse tipo de pensamento com o propósito de atingir o domínio do movimento,

CAPÍTULO 2

MOVIMENTO E CORPO

Parte I

A FLUÊNCIA do movimento é francamente influenciada pela ordem em que são acionadas as diferentes partes do corpo. Podemos distinguir uma "fluência desembaraçada ou livre" de uma "fluência embaraçada ou controlada". Os movimentos que se originam do tronco, do centro do corpo, e depois fluem gradualmente em direção das extremidades dos braços e pernas são em geral mais livremente fluentes do que aqueles nos quais o centro do corpo permanece imóvel quando os membros começam a se movimentar. Algumas ações elementares têm uma tendência natural para a "fluência livre"; por exemplo, *talhar** (*"slashing"*), na qual a fluência do movimento é liberada, repentina e energicamente. Outros movimentos como, por exemplo, a *pressão* (*"pressing"*), exige um controle da fluência de modo a que o movimento possa ser parado a qualquer momento dado. Deve-se notar principalmente que um movimento de talhar das extremidades superiores se origina no centro do tronco, seguindo então para os ombros, parte superior dos braços, terminando nos antebraços e mãos, ao passo que a fluência controlada da pressão se inicia nas mãos, a tensão associada à ação de pressionar se espalha para o interior do corpo, primeiramente para

---

* N. da T. — Talhar, Slashing, no original. Todos os termos referentes às 8 dinâmicas ou esforços básicos foram traduzidos por palavras aproximadas em português. Não existe, contudo, em nenhuma língua, uma palavra que traduza o sentido exato do movimento, pois, para cada pessoa a palavra que traduz a ação vai ter um sentido diverso. Talhar pode ser chicotear, quando se tem em mente o chicote comprido de um domador; já o chicote curto vai ocasionar um movimento direto e o talhar é flexível.

os pulsos e antebraços e, em seguida, para a parte superior dos braços, ombros e, finalmente, para o centro do corpo e tronco. Mesmo num leve sacudir das mãos no qual o centro do corpo parece manter-se passivo, a energia flui para fora dos antebraços, para os pulsos, mãos e, por último, aos dedos; enquanto que uma leve pressão deslizada dos dedos sobre uma superfície será primeiramente percebida na ponta dos dedos e, depois, seguindo por dentro das mãos, passando pelos pulsos até os antebraços.

O controle da fluência do movimento, portanto, está intimamente relacionado ao controle dos movimentos das partes do corpo. Os movimentos do corpo podem ser divididos aproximadamente em passos, gestos dos braços e mãos, e expressões faciais. Os passos abrangem pulos, giros e corridas. Os gestos das extremidades da parte superior do corpo compreendem movimentos de esvaziar, de recolher e de espalhar, dispersar. As expressões faciais relacionam-se aos movimentos da cabeça, que servem para dirigir os olhos, ouvidos, boca e narinas na direção de objetos dos quais se espera ter impressões sensoriais. A coluna, os braços e as pernas são articulados, isto é, subdivididos em juntas articuladas; a articulação da coluna é mais complexa que a dos braços e pernas.

É relativamente fácil observar um movimento fluindo livremente numa direção exterior, a partir do centro do corpo em direção das articulações. A fluência do movimento é controlada quando o sentido dele toma um rumo para dentro, que se inicia nas terminações das extremidades, progredindo em direção ao centro do corpo. Existe, porém, todo um labirinto de combinações que não pode ser demonstrado em poucas palavras, tornando-se, portanto, necessário efetuarmos um exame sistemático dos principais tipos de ações corporais.

A extraordinária estrutura do corpo, bem como as surpreendentes ações que é capaz de executar, são alguns dos maiores milagres da existência. Cada fase do movimento, cada mínima transferência de peso, cada simples gesto de qualquer parte do corpo revela um aspecto de nossa vida interior. Cada um dos movimentos se origina de uma excitação interna dos nervos, provocada tanto por uma impressão sensorial imediata quanto por uma complexa cadeia de impressões sensoriais previamente experimentadas e arquivadas na memória. Essa excitação tem por resultado o esforço interno, voluntário ou involuntário, ou impulso para o movimento.

As explicações racionalistas insistem no fato de que os movimentos do corpo humano estão submetidos às leis do movimento inanimado. O *peso* do corpo segue a lei da gravidade. O esqueleto do corpo pode ser comparado a um sistema de alavancas que faz com que se alcancem, no *espaço,* as distâncias e se sigam as direções. Estas alavancas são acionadas pelos nervos e músculos que providenciam a força necessária para superarmos o peso das partes do corpo que se movem. A fluência do movimento é controlada por centros nervosos que reagem aos estímulos internos e externos. Os movimentos se processam durante algum *tempo,* e podem ser medidos com exatidão. A força propulsora do movimento é a *energia* desenvolvida por um processo de combustão no interior dos órgãos corporais. O combustível consumido neste processo é o alimento. Não resta dúvida quanto ao aspecto puramente físico da produção de energia e da sua transformação em movimento.

O ligar e desligar da corrente energética e a regulação da fluência do movimento, segundo a intensidade do instinto de preservação da vida, também poderá ser meramente mecânico, mas aqui ocorre um problema na nossa perspectiva racionalista.

O movimento de uma pedra que cai é interrompido quando esta atinge o solo ou outro ponto de apoio. São constantes tanto a aceleração de sua velocidade de queda como seu trajeto no espaço e ambas podem ser medidas exatamente. O movimento de um braço caindo, porém, pode ser detido a qualquer instante pelo mecanismo de controle da máquina corporal. A parada é efetivada por meios exclusivamente mecânicos, a saber, pela utilização de um músculo antagonista que mantenha o braço suspenso no ar. A causa dessa parada, entretanto, é menos fácil de explicar. O braço que caía pode ter sido imobilizado porque a pessoa que o movimenta percebeu um objeto perigoso no caminho descrito pelo seu braço e o instinto, ou a reflexão, ordenou que se evitasse um ferimento e, por conseguinte, ocorreu o bloqueio do movimento. O indivíduo já tem acumuladas algumas experiências de situações e objetos que eventualmente provocam dor ou dano e que, portanto, ele busca evitar. Fica difícil atribuir a lembrança de tais experiências e a imediata reação a elas a um mecanismo puramente físico ou mesmo psicológico. Têm-se proposto teorias mecanicistas para explicar tais peculiaridades do comportamento dos seres vivos, mas elas não têm se mostrado convincentes. De qualquer modo, é certo que uma pedra rolará direto até o fogo, mas, um ser humano que se mover na mesma direção tentará evitá-lo com o concurso de um controle mais ou menos consciente de suas ações corporais.

Trata-se de um fato mecânico que o *peso* do corpo, ou de qualquer uma de suas partes, pode ser erguido e transportado numa determinada direção do *espaço* e que este processo leva um certo *tempo*, dependente da razão da velocidade. As mesmas condições mecânicas também podem ser observadas em qualquer contrapuxão que regule a *fluência* do movimento. O uso do movimento para um propósito definido, seja como instrumento para um trabalho externo, seja para refletir determinadas atitudes e estados de espírito, deriva de um poder que até os dias de hoje não foi explicado em sua natureza. Por outro lado, não se pode dizer que este seja um poder desconhecido, já que somos capazes de observá-lo em vários níveis, onde quer que haja vida.

O que podemos ver claramente é o seguinte: esse poder nos habilita a escolher entre uma atitude hostil, contida, constrita, de resistência, por um lado, e outra de complacência, de aceitação, tolerância e benevolência em relação aos *"fatores de movimento"* de Peso, Espaço e Tempo, aos quais os objetos inanimados estão submetidos, de vez que são acidentes naturais. Essa liberdade de escolha não é sempre consciente ou voluntariamente exercitada, sendo muitas vezes aplicada de maneira automática, sem o concurso de uma vontade consciente. Podemos, porém, observar conscientemente a função de selecionar movimentos apropriados às situações; isto quer dizer que temos condições de nos conscientizarmos de nossas opções, podendo investigar por que fizemos uma tal escolha. Podemos observar se as pessoas se entregam ou não às forças acidentais de peso, espaço e tempo, bem como à fluência natural do movimento, no sentido de terem uma sensação corporal delas, ou se lutam contra um ou mais desses fatores por meio de uma resistência ativa a eles.

A variabilidade do caráter humano deriva da multiplicidade de atitudes possíveis frente aos fatores de movimento e aí é que certas tendências poderão tornar-se habituais, no indivíduo. É da maior importância para o ator-dançarino que ele identifique o fato de que tais atitudes interiores habituais são as indicações básicas daquilo que chamamos de caráter e temperamento.

A fim de discernirmos a mecânica motora intrínseca ao movimento vivo, no qual opera o controle intencional do acontecimento físico, é útil denominarmos a função interior que dá origem a tal movimento. A palavra empregada aqui com esse sentido é *esforço**. Todos os movimentos humanos estão indissoluvelmente ligados a um esforço o qual, na realidade, é seu ponto de origem e aspecto interior. O esforço e a ação dele resultante podem ambos ser inconscientes e involuntá-

---
* Vide nota de rodapé à página 32.

rios, mas estão sempre presentes em qualquer movimento corporal; se fosse de outro modo, não poderiam ser percebidos pelos outros nem se tornar eficazes no meio ambiente da pessoa em movimento. O esforço é visível nos movimentos de um trabalhador, de um bailarino e é audível no canto e discursos. Se se ouve uma gargalhada ou um grito de desespero, pode-se visualizar, na imaginação, o movimento que acompanha o esforço audível. O fato de o esforço e suas várias modalidades não apenas poderem ser vistos e ouvidos, mas também imaginados, é de muita importância para sua representação tanto visível como audível, pelo ator-dançarino. Este se inspira nas descrições de movimentos que despertam sua imaginação.

Nas descrições históricas de movimento, que vêm desde o século XIV, enfatizam-se na representação teatral os seguintes aspectos: o exato dimensionamento do tempo, a exata recordação de detalhes, gestos e passos; a coordenação harmoniosa dos movimentos dos braços e corpo, as regras de comportamento, a variabilidade imaginosa de certos detalhes e, por último, e igualmente importante, a significação de padrões coreográficos segundo os quais se movimenta o bailarino.

O modo ou estilo de movimento empregado pelo dançarino ou ator esclarece um aspecto particular da expressão corporal que talvez seja mais importante para a arte da dança do que para a mímica ou para o drama. O corpo do bailarino segue direções definidas no espaço. Essas direções configuram formas e desenhos no espaço. Na verdade, a dança pode ser considerada como a poesia das ações corporais no espaço. Na dança selecionam-se poucas mas significativas ações corporais que compõem os modelos característicos de uma dança em particular. Os modelos da dança podem ter, mas não necessariamente, um conteúdo mímico perceptível. Sua significação não é sempre de matiz dramático; na realidade, é freqüentemente musical e sofre influências do conteúdo emocional e da estrutura da música que a acompanha. Por conseguinte, os movimentos visíveis do corpo na assim chamada dança musicada engendram, no espectador, reações ao nível de sensação. A dança de conteúdo dramático solicita a participação do espectador na ação, na reação e na solução do conflito. Os desenhos visíveis da dança podem ser descritos em palavras mas seu significado mais profundo é verbalmente inexprimível.

Muitas criações na dança desapareceram porque era impossível descrevê-las em palavras e temos um conhecimento muito precário de como eram apresentadas as danças de épocas mais remotas. Se se tivesse tentado usar de tais descrições, como de fato o foram, seriam apenas superficiais e inadequadas. É neste sentido, que as descobertas do homem industrial talvez consigam ajudar o bailarino. Os trabalhos contemporâneos de análise bem como sua notação não diferem significativamente dos exigidos para descrever qualquer movimento expressivo. Alguns balés modernos, por exemplo, criações dos Balés Jooss e Balanchine, são registrados segundo um modelo de notação que se desenvolveu de tentativas mais antigas de comunicar as danças por intermédio de símbolos escritos e que se baseia na observação e na análise de movimentos, no espaço e no tempo.

Uma literatura da dança e da mímica escrita em símbolos de movimentos é tão necessária e desejável como os registros históricos da poesia, na escrita, e da música, na notação musical.

A seguinte descrição de ações corporais tem por objetivo proporcionar ao estudante de movimento uma introdução aos exercícios destinados a treinar o corpo para ser um instrumento de expressão. Para tanto, é importante não apenas tornar-se ciente das várias articulações do corpo e de seu uso na criação de padrões espaciais e rítmicos, como também aperceber-se do estado de espírito e da atitude interna produzidas pela ação corporal. Algumas vezes será indicado no texto como treinar a imaginação, ao mesmo tempo. O leitor que se der ao trabalho de refinar e experienciar os movimentos descritos através de uma execução corporal, no entanto, descobrirá que sua imaginação é estimulada pela atividade. Embora houvesse sido desejável escrever os exercícios por intermédio de meios cinesiográficos, ou seja, usando símbolos de movimentos, foram empregadas descrições verbais para o presente texto, por motivos óbvios. O leitor, porém, deverá eventualmente se recordar da inadequação dessas descrições e, a fim de não nos divorciarmos do objetivo principal, a saber, o de desenvolver uma precisão na observação e na análise de ações corporais, tentou-se realizar o que ora propomos por meio de um modo de descrever que talvez venha a facilitar o pensar em termos de movimentos*.

ANÁLISE DE AÇÕES CORPORAIS SIMPLES

Antes de tentar uma análise de ações corporais, talvez seja útil considerar várias seqüências que contenham idéias de movimentos típicos. Em relação a estas idéias, as ações do corpo, que são um instrumento extremamente versátil de expressão, poderão tornar-se mais compreensíveis.

Cada um dos seis exemplos seguintes contém um estado de espírito característico de ação que pode ser

---

* "Cinesiografia" é um método de escrita do movimento desenvolvido pelo autor. Em seu livro *Principles of Movement and Dance Notation*, também publicado por Macdonald & Evans, ele explica o sistema que, em seu objetivo, tem uma certa semelhança com o universalmente aceito modo de "escrita musical, no qual seqüências inteiras de movimentos e danças podem ser registradas e relidas. Balés, danças folclóricas, qualquer movimento no palco, bem como operações industriais escritas desse modo, podem ser totalmente reconstruídos por qualquer pessoa, apesar de jamais ter visto os movimentos originais, desde que ela conheça os princípios da cinesiografia.

O resumo mais abrangente de cinesiografia já aparecido é o trabalho de Albrecht Knust, ex-aluno e colega do autor, atualmente renomado estudioso e professor do campo. Publicou o *Handbook of Kinetography Laban*, onde apresenta informações concisas sobre as muitas possibilidades de ações corporais e como anotá-las. Ann Hutchinson, do *Dance Notation Bureau* (Serviço de Notações da Dança) de Nova Iorque, também publicou um manual com o título de *Labanotation*, no qual são introduzidos e explicitados os símbolos originais da cinesiografia.

lírica, solene, dramática, cômica, grotesca, séria ou semelhante. É tarefa para a imaginação do próprio leitor o modo de interpretar as seqüências. Deve ser dito apenas que as ações-estados de espírito criados tornar-se-ão manifestos:

a) Por meio do modo peculiar de uso do instrumento que é o corpo;
b) por meio das direções tomadas pelos movimentos e pelas formas assim criadas;
c) por meio do desenvolvimento rítmico de toda a seqüência e do tempo na qual é executada;
d) por meio da colocação de acentos e da organização de frases.

SEIS EXEMPLOS DE SEQÜÊNCIAS DE MOVIMENTOS

1. correr — sacudir — agachar — rodopiar — parar.
2. arquear-se — levantar — fechar — abrir.
3. balançar — circular — espalhar — plainar.
4. tremer — encolher — precipitar-se — esparramar-se.
5. ondular — desfalecer — dar um bote — precipitar-se — arrastar-se.
6. andar — reclinar — virar — pular — empinar.

As ações corporais produzem alterações na posição do corpo ou em partes dele, no espaço que o rodeia. Cada uma dessas alterações leva um certo tempo e requer uma certa dose de energia muscular.

É possível determinar e descrever qualquer ação corporal respondendo-se às quatro questões seguintes:

(1) Qual é a parte do corpo que se move?
(2) Em que direção ou direções do espaço o movimento se realiza?
(3) Qual a velocidade em que se processa o movimento?

(4) Que grau de energia muscular é gasto no movimento?

Suponhamos que as respostas a estas quatro questões sejam:

a) A parte do corpo que se move é: *a perna direita.*
b) A região do espaço para a qual o movimento se dirige é à frente. O movimento é: *direto.*
c) A energia muscular gasta no movimento é relativamente grande. O movimento é: *forte.*
d) A velocidade do movimento é rápida. O andamento relativo é: *rápido.*

Entender-se-á que o movimento descrito acima não é um passo, mas um súbito chute dado com ímpeto pela perna direita, à frente do corpo.

É evidente que, a fim de executarmos observações tão exatas quanto seja possível, deve-se usar algumas subdivisões do corpo (vide Tabela I, pág. 57) juntamente com certos aspectos dos fatores de movimento Tempo, Peso e Espaço. Entretanto, o movimento é mais do que a soma destes fatores. Deve ser experimentado e compreendido como uma totalidade. Damos aqui o seguinte conselho: *invente seqüências curtas de movimentos, ou cenas de mímica, nas quais os movimentos descritos possam ser reconhecidos.* Esta é uma maneira de treinar não apenas a observação mas também a imaginação de movimentos, e de descobrir a conexão imediata do movimento imaginado com a sua aplicação prática, na execução física, em termos de expressão artística.

Prossigamos agora estudando os fatores das ações corporais, enquanto distintos dos das funções e mecânicas corporais. Espera-se com isso que se amplie e aprofunde, por intermédio desta abordagem, a apreciação e compreensão da significação do movimento humano.

Tabela I

O CORPO

Subdivisões Básicas Necessárias à Observação de Ações Corporais

---

Articulações do lado esquerdo		Articulações do lado direito
	Cabeça	
Ombro		Ombro
Cotovelo		Cotovelo
Pulso		Pulso
Mão		Mão
(dedos)		(dedos)
	Tronco parte superior (centro de leveza)	
	Tronco parte inferior (centro de gravidade)	
Quadril		Quadril
Joelho		Joelho
Tornozelo		Tornozelo
Pé		Pé
(artelhos)		(artelhos)

A POSIÇÃO

A posição é o local onde uma ou ambas as pernas que suportam o peso do corpo se situam no chão.

1. *Permanecendo em pé, com as pernas juntas, conscientize-se da linha central do corpo, começando nos pés, passando pela coluna até chegar ao topo da cabeça.*

2. *De pé com uma perna de cada lado, acentue a composição simétrica direito-esquerda do corpo, tensionando ligeiramente as mãos e pés, fora do eixo central. Mantenha a cabeça erguida.*

TRANSFERÊNCIA DE PESO OU PASSOS

Cada passo cria uma nova posição.

3. *Dê uma passada ampla com sua perna direita, dê outra com a esquerda, novamente com a direita e depois com a esquerda.*

Execute o exercício energicamente como se estivesse "conquistando", a cada vez, a nova posição. Cuide para que o peso do corpo seja totalmente transferido a cada passo, deixando a outra perna livremente suspensa no ar.

DIREÇÕES E PLANOS* DOS PASSOS

A direção espacial de um passo é relativa à posição imediatamente precedente.

4. *Começando com o peso distribuído nas duas pernas, execute os seguintes passos:*
   à frente, com o pé esquerdo
   à frente, com o pé direito
   agora mantenha o peso no direito (isto é, a ação do movimento da perna direita está sustida) e dê um passo com o pé esquerdo para junto do direito, para que o peso finalmente volte para as duas pernas.
   Você executou um "passo modelo" que pode ser repetido:
   a) com o mesmo lado ou com o outro;
   b) em outras direções, tais como para trás.

5. *De pé sobre a perna direita, a esquerda mantida para trás e mantida fora do chão. Agora dê os seguintes passos:*
   pé esquerdo à frente
   pé direito junto do esquerdo
   (cuide para que a perna esquerda continue

---

* N. da T. — Foi traduzido como plano no sentido de nível.

sua ação até que finalmente esteja fora do chão e fechada perto da outra perna)
pé esquerdo à frente.

Completou-se outro "passo modelo" que pode ser diretamente repetido, prescindindo de quaisquer movimentos de transição:
   a) com o outro lado;
   b) em outras direções, tais como de lado.

De pé na perna direita, mantenha a perna esquerda do seu lado esquerdo fora do chão, execute o seguinte passo:
   com a perna esquerda para o lado esquerdo,
   com a perna direita junto a ela
   (observe a completa transferência de peso),
   com a perna esquerda para o lado esquerdo.

Repita este passo modelo para a direita sem mudança transicional.

A postura e os passos normais são de plano médio; os passos baixos são executados dobrando-se os joelhos tanto quanto possível, enquanto o pé inteiro permanece no chão. Passos altos são dados na ponta do pé, estando o joelho estendido normalmente.

Explore as características dos passos altos e dos baixos, os quais dão a sensação de afundar no chão assim como a de subir acima dele.

No exercício a seguir, você experimentará um movimento de ascensão gradual, seguido de uma mudança brusca para baixo, do qual a fase de subir novamente se inicia, a cada vez numa direção diferente.

6. *De pé em ambas as pernas, passo nas direções*
   direita — frente com a perna direita-baixo
   direita — frente com a perna esquerda-médio
   direita — frente com a perna direita-alto
   esquerda — trás com a perna esquerda-baixo
   esquerda — trás com a perna direita-médio
   esquerda — trás com a perna esquerda-alto
   direita — trás com a perna direita-baixo
   direita — trás com a perna esquerda-médio
   direita — trás com a perna direita-alto
   esquerda — frente com a perna esquerda-baixo

esquerda — frente com a perna direita-médio
esquerda — frente com a perna esquerda-alto

Complete baixando o peso na perna esquerda no plano médio, ao mesmo tempo dando um passo com a perna direita para perto dela, de modo que a posição inicial seja atingida novamente.

Este exercício pode ser inteiramente repetido:
a) exatamente igual;
b) do mesmo modo, mas começando em qualquer outra das três direções diagonais
à esquerda e para frente,
à esquerda e para trás,
à direita e para trás;
c) invertendo o plano dos passos, começando alto — médio — baixo;
d) variando os planos de algum outro modo.

Quando der passos na diagonal, preste atenção para que a frente do corpo não se altere, quer dizer, os quadris devem permanecer em sua posição original, para que ocorram as posições aberta e cruzada das pernas, o que permite a experienciação de um modo de andar livre como de um modo de andar obstruído a passos largos.

GESTOS COM AÇÕES SUCESSIVAS

Os gestos são ações das extremidades, que não envolvem nem transferência nem suporte do peso. Podem dar-se em direção do corpo, para longe dele, ou ao seu redor e podem também ser executados com ações *sucessivas* das várias partes de um membro.

7. *Esticar o braço direito para longe de seu corpo. Dobre-o em direção de seu peito.*

Enquanto você realiza esse movimento, preste atenção às diferentes articulações de seu braço: ao esticar o braço na sua totalidade para retomar a posição inicial, certifique-se de que sua mão e os dedos também estão estendidos. Mova agora, primeiro apenas a mão, no sentido de seu corpo; depois o pulso seguido do cotovelo e, finalmente, o ombro. Deste modo, você executará um movimento *sucessivo* de seu braço direito, com início na ponta dos dedos que movimentam a mão, seguido do punho que movimenta o antebraço, depois do cotovelo que move o braço e finalmente do ombro que movimenta a escápula direita, completando desta forma um movimento de dobrar em direção à linha central de seu corpo.

a) *Inverta a ação para estender, movendo sucessivamente para fora da linha central e para longe dele:*

   ombro   — *afetando a escápula*
   cotovelo — *afetando o braço*
   pulso   — *afetando o antebraço*
   dedos   — *afetando a mão.*

b) *Repetir dobrando e estendendo com o braço esquerdo.*

c) *Dobre e estenda ambos os braços, atentando para uma sucessão bem-feita na ação das várias articulações de seus braços, ao alterar as suas posições.*

d) *Dobre e estenda um ou ambos os braços, fazendo seqüências diferentes de sucessão de movimentos, das várias articulações do braço; por exemplo, estique o braço para longe do corpo. Em seguida, dobre-o em direção do corpo com uma sucessão irregular: primeiro o ombro, depois a mão, cotovelo e, finalmente, o pulso.*

Observe o efeito mais harmonioso de dobrar e estender o braço quando a ação é realizada com uma sucessão regular das articulações do braço, como descrito acima, não importando se o início se dá com as articulações internas ou externas comparado ao efeito mais desarmonioso, até mesmo grotesco, que apresenta a sucessão irregular, como no exercício 7-d.

8. *Dobre e estique uma perna. Quando o peso é colocado em uma das pernas, a outra está liberada para realizar gestos. Estenda uma das pernas no ar, para longe do corpo. Execute um movimento de dobrar sucessivo, como se segue:*

   quadril — *inclinando a pélvis*
   joelho — *movendo a coxa*

tornozelo — *movendo a perna*
artelhos — *movendo todo o pé*
concluindo desta maneira um movimento de dobrar a perna em direção à linha central do corpo.

a) *Inverta essa sucessão para estender, iniciando com os artelhos e terminando com o quadril.*

b) *Dobre, começando da ponta dos artelhos.*

c) *Estenda, iniciando do quadril.*

d) *Execute movimentos de dobrar e estender em sucessão irregular das partes da perna.*

GESTOS COM AÇÕES SIMULTÂNEAS

Diversamente dos exercícios anteriores, os movimentos das extremidades em direção ao corpo e para longe dele podem também ser realizados com ações *simultâneas* de suas várias articulações. Observe que, desta forma, os movimentos da mão, antebraço, braço, escápula ou os do pé, perna, coxa e pélvis são iniciados e finalizados ao mesmo tempo.

9. *Repita o exercício 7, mas ao invés de completar o movimento de cada segmento do braço antes de iniciar o do seguinte, todos os quatro entram simultaneamente em ação, do começo ao fim.*

Compare as experiências dos movimentos simultâneos e sucessivos. Você observará que a fluência da ação sucessiva promove a conscientização do processo de dobrar e esticar, ao passo que na ação simultânea é a realização de cada estágio que parece ter importância.

10. *Experimente dobrar e esticar os braços e pernas sucessiva e simultaneamente, usando apenas duas ou três articulações, por exemplo, ombro e pulso, ou joelho e tornozelo.*

a) *Mova ambos os braços e uma perna ao mesmo tempo, variando ações, simultâneas e sucessivas com cada membro.*

b) *Dobre ou estique um membro após o outro, variando entre ações sucessivas e simultâneas.*

DIREÇÕES E PLANOS DOS GESTOS

As direções e os planos dos gestos do braço e da perna são relativos à articulação na qual ocorre o movimento.

O plano médio de um gesto da perna ocorre na altura do quadril, o plano médio de um gesto do braço é da altura do ombro. Os movimentos realizados acima dessas articulações são altos e os realizados abaixo são baixos.

Os gestos dirigidos para a linha vertical baixo cima; ou perto das juntas do membro em movimento são baixos, altos ou médios, respectivamente.

Os braços pendendo verticalmente dos ombros, como na postura normal, são "baixos". Uma perna pendendo, próxima à outra que suporta o peso do corpo é "baixo".

Os braços erguidos verticalmente, acima dos ombros, são "altos"; as pernas erguidas verticalmente, acima dos quadris, como na posição apoiada nas mãos ("como plantar bananeira") são "altas".

Braços ou pernas dobrados bem próximos dos ombros ou quadris, respectivamente, estão num plano médio.

Os planos e direções específicas das partes em separado, tanto do braço quanto da perna, relacionam-se às articulações nas quais se dá o movimento. Por exemplo, um movimento médio, para a frente-médio, do joelho, traz a coxa para a frente, ao plano do quadril; este é um movimento simultâneo, para trás-baixo, do tornozelo, ou seja, do pé para trás-baixo, a partir da articulação do joelho, trazendo-o para perto do joelho da perna de apoio.

11. *De pé sobre a perna direita, estenda a perna esquerda para trás-baixo. Ação de toda a perna*

esquerda:
baixo
para a frente-baixo
baixo
para trás-baixo
Pratique o mesmo exercício com a outra perna.

12. De pé sobre a perna direita, estenda a perna esquerda para trás-baixo. Ação de toda a perna *esquerda:*
    médio
    para a frente-baixo
    médio
    para trás-baixo.
    Pratique o mesmo exercício com a outra perna.

    Enquanto a perna livre executa os gestos, a que suporta o peso pode mudar de plano.

13. De pé sobre a perna direita, baixo, estenda a esquerda para trás diagonalmente, através da direita, para trás-baixo tocando o chão com os dedos, não carregando peso algum. Ao mesmo tempo, faça os seguintes gestos com a perna:

Gestos com a perna esquerda:	Perna direita na posição:
via médio	alto
para a esquerda, à frente-baixo (com toque no chão)	baixo
via médio	alto
para a direita, para trás-baixo (com toque no chão)	baixo
via médio	alto
para a esquerda, à frente-médio	baixo

    a) Repita a seqüência toda com o outro lado.
    b) Repita a seqüência, começando com o gesto da perna esquerda: para a esquerda, para trás, baixo (isto é, numa posição aberta diagonal para trás).

c) *Inverta a seqüência começando com o gesto da perna esquerda: para a direita, para a frente-baixo ou para a esquerda, para a frente-baixo.*

OS GESTOS DAS PERNAS PODEM PRECEDER O PASSO

Os gestos podem ser executados como preparação para uma transferência de peso. Execute o exemplo seguinte:

14. *Posição inicial com os dois pés juntos: plano médio.*
    Gesto da perna direita:
    lado direito-baixo; para a frente-baixo.
    Passo da perna direita:
    do lado esquerdo, baixo.
    A seguir, mude para o plano médio, enquanto dá um passo com o pé esquerdo perto do direito, também em plano médio. Repita com o outro lado.

OS GESTOS DAS PERNAS PODEM SE SEGUIR A UM PASSO

Estes são gestos percebidos como resultado de um passo, como por exemplo, após um passo à esquerda, para trás-baixo, a perna direita executa um movimento de dobrar pelo joelho esquerdo.

Os gestos das pernas podem também ocorrer independentemente, em cujo caso é acidental qualquer transferência de peso decorrente. Veja os exemplos 11 e 12 ou o seguinte.

15. *De pé, na perna esquerda-baixo.*
    (i) { *Gesto da perna direita:*
    Joelho para o lado direito-médio
    Tornozelo para o lado esquerdo-baixo
    (trazendo o calcanhar direito para perto do joelho esquerdo)
    Artelhos para o lado direito-médio
    (ii) { *Mudança de plano da perna-suporte para médio*
    Gesto da perna direita para o lado direito-médio

(As chaves indicam ações simultâneas).

a) Repita várias vezes.
b) Repita com a outra perna.

OS GESTOS EM VÁRIAS DIREÇÕES CONSTITUEM
FORMAS DEFINIDAS DE MOVIMENTO

Dentre as formas espaciais de movimento podemos distinguir as formas circulares, angulares e torcidas como formas básicas.

16. Gesto do braço esquerdo:

    *de direita-para frente-médio
    para a frente-baixo
    para esquerda-para frente-médio
    para a frente-alto, volte
    para direita-para frente-médio*

    Esta seqüência, que envolve apenas alterações graduais de direção, cria um desenho ou forma quase que *circular*, empregando como ponto central a direção à frente.

    Os gestos dos braços e pernas deveriam ser executados com facilidade e não com qualquer rigidez de suas várias articulações.

17. Braço direito:

    *lado direito-baixo
    esquerdo-para frente-baixo
    lado direito-médio
    esquerdo-para a frente-alto
    lado direito-alto*

    Esta seqüência de direções, mudando abruptamente, produz uma espécie de desenho em ziguezague com formas *angulares*.

18. Faça os gestos de ambos os braços ao mesmo tempo:

Gesto do braço esquerdo:	*Gesto do braço direito:*
lado direito-médio	*lado esquerdo-médio*

à frente, médio
baixo
lado esquerdo-
médio

à frente, médio
baixo
lado direito-
médio

Ocorre uma forma *torcida* quando a linha de movimentos, em suas direções gradualmente modificadas, contém dois centros. Neste exemplo, o braço esquerdo vira em redor dos centros:

direito, à frente-baixo e
esquerda, à frente-baixo.

Enquanto que o braço direito vira em redor:

esquerda, à frente-baixo e
direita, à frente-baixo.

As formas circulares, angulares e torcidas pedem uma execução corporal clara. Observe como as funções do corpo, a saber, o dobrar, o esticar, o torcer e suas combinações operam na execução dessas formas.

MOVIMENTOS DE BRAÇO E PERNA COMBINADOS

O corpo é nosso instrumento de expressão por via do movimento. O corpo age como uma orquestra, na qual cada seção está relacionada com qualquer uma das outras e é uma parte do todo. As várias partes podem se combinar para uma ação em concerto ou uma delas poderá executar sozinha um certo movimento como "solista", enquanto as outras descansam. Também há a possibilidade de que uma ou várias partes encabecem e as demais acompanhem o movimento. Este é um ponto importante de se ter em mente ao estudar os exercícios deste capítulo. Cada ação de uma parte particular do corpo deve ser entendida em relação ao todo que sempre deverá ser afetado, seja por uma participação harmoniosa, por uma contraposição deliberada, ou por uma pausa.

19. *Posição inicial: peso na perna direita-baixo, braço direito médio. Execute os movimentos de braço e perna ao mesmo tempo.*

Pernas:	Braço direito:
passo esquerdo: à frente	gesto: esquerda para a frente
(via baixo para médio)	(via baixo para alto)
passo direito: para trás	gesto: direito para trás
(via alto para baixo)	(via alto para baixo)

MUDANÇA DE PLANO

A mudança de plano pode ocorrer durante uma única ação do corpo ou de suas partes. No exercício anterior, a transferência de peso nos movimentos de passos se completa apenas quando o joelho — após dobrado — novamente se estica. Isto produz um suave movimento de pisar, diferente do seguinte:

20. *Passo esquerdo: para frente, baixo-médio*
Passo direito: para trás, alto-baixo.

Pratique uma completa transferência de peso com o passo à frente baixo e após uma pausa quase que imperceptível, estique o joelho que está suportando o peso.

Pratique semelhantemente uma completa transferência de peso para o pé direito, para trás e alto, e após uma pausa quase que imperceptível, abaixe o calcanhar e dobre o joelho.

Os gestos de braços no Exercício 19, que mudam de plano enquanto se movem esquerda - para frente e depois direita para trás e para a direita, também produzem curvas suaves diferentes das do exercício seguinte, no qual cada direção é alcançada segundo uma ação própria:

21. *Gesto do braço direito:*

   esquerda, para a frente, baixo
   esquerda, para a frente, alto
   direita, para trás, alto
   direita, para trás-baixo

Treine sua habilidade de apreciar a diferença entre as mudanças de planos durante cada ação, bem como as mudanças de direção provocadas pelas diversas ações corporais.

EXTENSÃO DOS GESTOS

O alcance normal de nossos membros quando se esticam ao máximo para longe de nosso corpo, sem que se altere a posição, determina os limites naturais do espaço pessoal ou *cnesfera*, no seio da qual nos movimentamos. Esta *cnesfera* se mantém constante em relação ao corpo, mesmo quando nos movemos para longe da posição original, viajando com o corpo no espaço geral*.

Os gestos podem estender-se para longe do corpo ou próximo a ele, ou deslocando-se entre perto e longe. São, por vezes, contidos e perto; em outras ocasiões, estendidos e amplos, envolvendo movimentos de todo o tronco, o que provoca na *cnesfera* um encolhimento e um crescimento respectivos.

Os gestos que ligam extensões diferentes da *cnesfera* são freqüentemente controlados e estáticos em demasia ou tendem a estar carregados de qualidades dinâmicas que muitas vezes provocam a locomoção.

22. *Braço direito de médio para estreito frente-baixo (estreito ou próximo ao corpo significa que o braço não estará completamente estendido), para largo, frente-para o alto.*
    Execute esse gesto curvo:

    a) *com um movimento livre e fluente, rapidamente, de modo que sua extensão além de fácil alcance, faça o corpo todo desequilibrar, provoque a necessidade de um passo ou dois para recuperar o equilíbrio eventualmente perdido;*

    b) *determinando-se a manter a posição original a qualquer custo. Isto terá por resultado uma extensão extrema do braço e uma sensação de limitação e de controle.*

---

* Vide *Modern Educational Dance* por Rudolf Laban.

23. *Explore as possibilidades de gestos do braço que levem a outras direções e níveis da cnesfera, estendida, tais como:*
    a) alto, fazendo com que ou o pé saia livremente do chão ou se agarre a ele na tentativa de contrapor o puchão para uma esfera estendida;
    b) direita, para trás-baixo, chegando ou à queda ou ao controle do equilíbrio.

24. *Gesto do braço esquerdo:*

    do lado esquerdo-médio (amplo)
    para lado direito-médio (normal)
    para lado esquerdo-médio (estreito)
    para médio.

    Esta seqüência de movimentos cria um deslocamento balanceado que gradualmente leva à parada. Adapte a posição de seus pés de tal modo que possa ser claramente percebida a extensão decrescente do gesto do braço.

25. *Invente gestos com os braços, criando formas curvas ou angulares de movimentos, enquanto se locomovendo em uma das diferentes extensões da cnesfera, ou entre elas, como por exemplo:*
    Gesto do braço direito:
       de para frente-médio
       para lado direito-médio (amplo)
       para baixo (estreito)
       para trás-médio (amplo)
    Ou

    Gesto do braço esquerdo:
       do lado direito-alto (estreito)
       via frente-alto (estreito) e
            alto (estreito)
       para frente-baixo (amplo)
       para direito-trás-médio.

    Ajude a execução das extensões variáveis do gesto de seu braço com movimentos apropriados de suas pernas e de seu torso.

    Observe o modo como a mudança de extensão no espaço pede uma crescente sensibilidade nas ações corporais.

26. *Experimente semelhantemente, com as pernas, os gestos descritos acima para os braços.*

EXTENSÃO DOS PASSOS

Conforme já indicamos anteriormente, os gestos de pernas podem ser executados por si mesmos ou associados a um passo, seja precedendo-o, seja seguindo-o. Também os passos podem ser estreitos e largos, ou melhor, pequenos e grandes, conquanto nem aumentem nem diminuam a *cnesfera*, fazendo porém com que o espaço pessoal entre no geral.

27. *Dê alguns passos à frente, começando com passos bem pequenos e pouco a pouco aumentando-os até que sejam estendidos e bem amplos.*

28. *Comece com passos bem grandes à frente e termine com bem pequenos.*

Enquanto realiza os Exercícios 27 e 28 procure notar se ocorrem, em alguns deles, mudanças de tempo e do uso de sua força. Em caso positivo, tente o seguinte:

a) restrinja-se quanto a mudanças e trabalhe no sentido de adquirir um controle regular de suas ações corporais;

b) inverta ou varie as alterações que você observou, sem perturbar o aumento ou diminuição gradual da extensão do espaço.

29. *De pé sobre a perna direita, baixo.*

Gesto da perna esquerda:

*de baixo (estreito), ou seja, pé esquerdo perto do joelho direito
para direito-trás-baixo (amplo)
para esquerda-trás-baixo (amplo)*

seguido de um passo bem pequeno do pé esquerdo para trás, médio.

71

30. *Execute as seguintes ações com as pernas, ao mesmo tempo:*

Perna esquerda:	Perna direita:
———	Passo: lado direito, baixo (muito amplo)
Gesto: trás, baixo (com um toque no chão) à frente, baixo (com um toque no chão) do lado direito, baixo (estreito)	médio
Passo para posição, médio	pausa

31. *Invente seqüências de movimentos de pernas com gestos estreitos e amplos, precedendo ou sucedendo passos pequenos ou grandes, em várias direções.*

Experienciamos coisas mais interessantes a partir de gestos dos braços e das pernas, que diferem em seu grau de extensão, dos passos que que os acompanham, por exemplo: *Dê três passos pequenos para trás, alto, enquanto que os dois braços tendo começado em médio, gradualmente estendem-se à frente, médio, muito amplo. Ou, de pé sobre o pé direito, baixo, enquanto a perna esquerda está estendida para trás-baixo, tocando o chão com o dedão do pé. Execute agora os gestos de ambos os braços ao mesmo tempo;*

Gesto do braço esquerdo:	Gesto do braço direito:
para o lado esquerdo, alto	para a direita, frente, médio
(muito amplo)	(muito estreito)

Note como as ações simultâneas de partes diferentes do corpo, que variam em suas extensões, criam um conteúdo expressivo que se poderia chamar de problemático, isto é, tais ações não sugerem uma solução direta.

Tabela II

ESPAÇO

Aspectos elementares necessários para observação de ações corporais

Direções:	frente esquerda frente direita frente esquerda direita esquerda trás direita trás trás
Planos:	alto médio baixo
Extensões:	perto — normal — longe pequena — normal — grande
Caminho:	direto — angular — curvo

VELOCIDADE

A média que permitimos a um movimento suceder a outro é a *velocidade* com a qual agimos. O passo do nosso andar normal pode ser considerado como sendo de velocidade média. Podemos atribuir a cada passo uma unidade que possa corresponder a cada batida de nosso pulso.

Um passo que ocupa várias batidas é percebido como vagaroso; vários passos em uma só batida são rápidos (vide Tabela III).

32. Dê alguns passos em qualquer direção que você deseje, à média aproximada de seu pulso, isto é, velocidade média ou "normal".

33. *Enquanto transfere seu peso de um pé para o outro, deixe que passem várias batidas em seu pulso, dando assim um passo "lento".*

34. *Tente dar vários passos entre duas batidas de seu pulso, agindo "rapidamente".*

TEMPO-RITMO

O tempo-ritmo de uma série de movimentos consiste na combinação de durações iguais ou diferentes de unidades de tempo. Estas podem ser sepresentadas pelas notações musicais de valores de tempo.

35. *Crie desenhos de passo usando os seguintes ritmos várias vezes seguidas:*

(1) ♩.♪♩. (2) ♩ ♩ ♩ (3) ♩ ♩ ♩ (4) ♪ ♩ ♪

a) *Compare os desenhos dos passos que você criou uns com os outros e acentue as ações corporais características de cada um.*

b) *Produza variações de cada desenho de passo introduzindo gestos de pernas sem alterar o ritmo original.*

c) *Invente seqüências de gestos de braços em cada ritmo, com o uso claro das diversas articulações (ombro, cotovelo, punho e dedos), tanto simultânea quanto sucessivamente.*

d) *Observe mudanças de direções e planos em relação a cada ritmo e produza variações fazendo trocas de cada um pelo seu oposto, ou seja, o ir à frente é substituído pelo ir para trás; para cima é trocado por para baixo, etc.*

Esses exercícios não apenas promoverão a precisão como também a habilidade para inventar ações corporais.

TEMPO

Os tempos-ritmos são independentes do tempo de toda a seqüência de movimentos. O mesmo ritmo pode ser executado em tempos diferentes, sem alterar a duração proporcional de cada unidade de tempo.

36. Execute as seqüências de movimento que você criou empregando os ritmos dados no exercício 35, em tempos diferentes:
a) médio; b) lento; c) rápido.

O Exercício 35 (1), expresso em notações musicais, seria lido do seguinte modo:

(a) ♩. ♪ ♩.
(b) ♩. ♩ ♩.
(c) ♪. ♪ ♪.

PAUSA

Qualquer ação corporal pode ser parada e retirada por um período de tempo. A duração da pausa pode ser medida por unidades de tempo proporcionais à dos movimentos que introduzem e concluem o período de parada.

37. Escolha qualquer posição inicial; modifique-a segundo uma ação corporal que dure três batidas de seu pulso (ou três contagens regulares); imobilize seu movimento por uma pausa de duas unidades de tempo, seja qual for a posição em que você tiver chegado, conscientizando-se da natureza desta nova posição. Volte, em seguida, à original dentro de uma unidade de tempo e, sem pausa, comece uma frase completa outra vez.

   a) Comece por uma pausa, na posição inicial, com três unidades de tempo de duração; mude para outra posição (predeterminada) durante duas unidades de tempo e mude desta para a original em uma unidade de tempo.

   b) Mude uma posição inicial em três unidades de tempo. Troque a posição mais recente por uma inteiramente nova, durante duas unidades de tempo e mantenha esta última por uma unidade. Repita este ritmo produzindo, de cada vez, ações em partes diferentes do corpo e para diferentes direções e planos.

38. Invente seqüências de ações corporais usando variações de velocidades rápida, lenta e média, com e sem:

a) *deter uma ação,*
   b) *deter-se numa pausa após uma ação completa para uma posição nova, durante um intervalo de tempo claramente proporcional ao da ação.*

MOVIMENTOS VIBRATÓRIOS SACUDIDOS

Consistem estes em mudanças muito rápidas de um número de posições produzidas dentro de uma unidade de tempo.

39. *Produza um movimento vibratório sacudido*
    a) *por intermédio de mudanças muito rápidas de duas posições alternadas,*
    b) *por intermédio de mudanças muito rápidas de várias posições diferentes.*

Ficará bastante claro que as posições desses movimentos sacudidos situar-se-ão próximas entre si, no espaço; por exemplo, seu braço direito que está esticado à frente em todo seu comprimento move-se rapidamente algumas vezes numa pequena distância entre um ponto acima e outro abaixo, no transcorrer de uma unidade de tempo; ou os joelhos se mexem muito depressa para dentro e para fora durante um intervalo de tempo.

Tabela III

TEMPO

Aspectos Elementares Necessários à Observação de Ações Corporais

Velocidade:	rápida			normal			lenta		
(Unidades de tempo)	♪ 1	♪. 1½	♩ 2	♩. 3	♩ 4	♩. 6	𝅗𝅥 8	𝅗𝅥. 12	𝅝 16
Tempo: (relativo às seqüências de movimento)	presto			moderato			lento		

76

USO DA ENERGIA OU FORÇA MUSCULAR

A fim de efetuar alguma modificação em nossa posição corporal usamos a energia muscular. O dispêndio de força e seus graus é proporcional ao peso carregado ou à resistência que se lhe oponha. O peso pode tanto ser:

1) o da parte do corpo que está sendo movida, como
2) o de um objeto a ser movido.

A resistência pode originar-se ou
1) do interior do próprio corpo da pessoa, pelos músculos antagonistas, ou
2) do exterior, em objetos e/ou pessoas.

A resistência pode envolver uma tensão muscular normal, forte ou fraca.

40. *Dê uma série de passos em uma direção:*

   a) Empregando uma resistência uniformemente forte contra o solo;

   b) com força crescente;

   c) com força decrescente;
   e invente variações de tempo-ritmos.

41. *Execute uma seqüência de três passos, onde o primeiro deverá ser dado com forte tensão muscular, o segundo com tensão normal e o terceiro com tensão fraca. Repita várias vezes. Crie um ou vários passos repetitivos de dança, atribuindo a cada passo uma direção e um nível particulares.*

42. *Invente ações corporais isoladas, tais como as que ocorrem no desdobrar de um braço, na flexão dos joelhos, etc., e experimente em cada uma a execução com tensão muscular variando entre forte, normal e fraca.*

43. *Faça um gesto contínuo de braço, partindo do lado esquerdo-médio, para alto, para lado direito-médio, para a frente-médio, no qual o movimento tem uma tensão muscular forte na primeira direção, normal na segunda e fraca na terceira.*

ACENTO

Uma tensão que surja abrupta ou gradualmente poderá eventualmente se constituir numa ênfase ou acento de um movimento ritmicamente importante.

44. *Execute uma série de movimentos de passos, acentuando:*

   a) cada quarto passo;
   b) cada segundo passo.

   É interessante notar que a ênfase unilateral do corpo, ou seja, a acentuação que a cada vez se dá na mesma perna, proporciona tanto uma sensação de desajeito ou de animação, conforme o caso, e principalmente no exemplo (b). O fato pode ser atribuído à alternação homogênea das pernas, bem como à ênfase não-ênfase, enquanto que no exemplo (a), o intervalo não acentuado acontece com vários passos, o que confere à ação um melhor equilíbrio.

   Em contraste com isso, observe que a ênfase especial colocada em cada terceiro passo, no Exercício 41, acontece em pernas alternadas, produzindo uma sensação confortável ou talvez de complacência. Essa nuance se torna particularmente notória quando os três passos são executados com velocidade, como numa valsa cadenciada.

45. *Varie a colocação do acento numa seqüência de três passos, da seguinte maneira:*

   a) no primeiro passo;
   b) no segundo passo;
   c) no terceiro passo;
   a princípio, repetir cada exemplo quatro vezes; depois, estabelecer frases mais longas misturando os exemplos.

   Podemos distinguir, por exemplo, as duas possibilidades seguintes de elaboração de uma frase, na alternância de movimentos com e sem ênfase:

   (i) a parte não acentuada precede o acento e abre caminho para este último;
   (ii) a parte não acentuada segue o acento e, por assim dizer, dissolve-o.

46. Realize os *Exercícios 44 (a) e (b)* com uma percepção bem-focalizada para o momento em que você se dirige para o passo enfatizado ou se, ao contrário, você começa por ele e acaba a frase com uma tensão menor. Varie o uso de direções e de planos.

Tabela IV

PESO

Aspectos Elementares Necessários à Observação de Ações Corporais

Energia ou força muscular usada na resistência ao peso:	forte 2 : 1	normal 1 : 1	fraca ½ : 1
Acentos: Graus de tensão:	ênfase tensão	ou a	neutro relaxado

VOLTAS OU MUDANÇAS DA FRENTE

Nos exemplos que até o momento se apresentaram, a frente de seu corpo permaneceu inalterada, no que diz respeito à direção. Agora você passará à prática de voltar com a frente de seu corpo, para diferentes direções. A fim de atingir um julgamento bem-fundamentado do grau de volta, você terá que se ver livre da necessidade de fitar certos objetos ao seu redor; os novos parâmetros deverão ser encontrados no seu próprio corpo. Fique de pé, apoiado em seus dois pés; talvez seja melhor manter os olhos fechados; tente traçar uma imagem bem-definida das relações de seu corpo com as seguintes direções espaciais:

frente: estando na frente do corpo
trás: estando atrás do corpo
lado direito: estando à direita do corpo
lado esquerdo: estando à esquerda do corpo

e não com o local onde estão as janelas, as portas, ou a lareira da sala.

Portanto, quando você mudar a sua frente para outra direção, por exemplo, para trás, aí será o local onde antes estavam as suas costas, o que significa que você deu uma meia-volta. Após a realização da volta, a direção antiga atrás se transformou na direção nova à frente. Isto será elucidado no seguinte exercício:

47. *Dê um passo à frente com o pé direito, agora com o esquerdo e novamente com o direito; pausa e procure perceber que a perna esquerda esteja conservada atrás — faça com que o dedão do pé toque o solo — agora volte para a sua esquerda, sem tirar o dedão do pé esquerdo do lugar, até que a perna esquerda esteja à frente do corpo.*

Você terá completado uma meia-volta e a perna esquerda está agora em posição de repetir a seqüência e refazer o trajeto original.

Observe que no final do movimento a perna direita está atrás, os dedos tocando o chão e que, para poder repetir toda a seqüência desde o começo você deverá dar outra meia-volta, mas para a direita desta vez.

48. *Dê um passo para o lado direito primeiro com a perna direita e a seguir com a esquerda (cruzando). Vire-se agora para a sua direita até que a sua fronte esteja voltada para a direção que, de início, se colocava à esquerda de seu corpo. Isto significa dar 3/4 de volta para a direita.*

DIREÇÕES DE VOLTAS

A mudança da frente, ou volta numa nova direção, pode ser concretizada de duas maneiras:

a) para a direita, ou seja, o ombro direito vai para trás;

b) para a esquerda, ou seja, o ombro esquerdo vai para trás.

MOTIVOS PARA VOLTAS

As voltas são freqüentemente dadas:

a) seja para efetuar uma mudança deliberada de direção, como no Exercício 47 e 48;

b) seja para gozar a ação ligeira de girar em torno de um eixo que é usualmente iniciada por gestos de braços ou pernas, como por exemplo:

49. *Balance sua perna esquerda do lado esquerdo, via frente, para o lado direito, permitindo que seu corpo seja girado até onde o impulso do balanço da perna levar você. Dê, a seguir, três passos para trás.*

    Note que aqui "para trás" se refere à nova frente obtida após a volta.

    Esta volta é chamada volta "para dentro", pois o gesto que a inicia cruza a frente do corpo e proporciona uma sensação de cercar. O caso oposto ocorre quando o gesto vem da frente do corpo e se abre para trás, como ocorre no exercício seguinte.

50. *Faça um círculo com sua perna direita rapidamente ao redor da esquerda, que suporta o peso, começando na frente, via lado direito, por trás, para o lado esquerdo; deixe o corpo girar.*

    Essa é uma volta "para fora" e a sensação de abertura pode ser acentuada por um gesto concomitante de abertura dos braços. Conclua a volta dando um ou dois passos de sua escolha.

COLOCAÇÃO DE VOLTAS

As voltas podem ocorrer também entre passos, e diferentes qualidades expressivas podem ser causadas, se as colocarmos como se segue:

a) volta precedendo um passo;
b) volta enquanto se dá a transferência de peso;
c) volta em seguida a um passo.

51. *Faça experiências com os exercícios anteriores, introduzindo:*

   a) *mudanças de planos;*
   b) *mudanças de velocidades.*

MUDANÇAS DE FRENTE ENQUANTO PROGREDINDO ATRAVÉS DO ESPAÇO

A mudança da frente pode ser efetuada ao longo de vários passos.

52. *Dê vários passos para trás e continue mudando a sua frente, voltando-se para a esquerda até que você encare a direção que estava às suas costas inicialmente. Você terá executado um meio-círculo.*

   Experimente mudanças similares da frente do corpo, usando uma outra direção constante de andar.

PULOS

Uma das ações corporais mais excitantes é a elevação do corpo acima do solo, ou seja, o momento em que ambos os pés deixam o chão num pulo e você fica verdadeiramente suspenso no ar por um momento.

Pular requer um certo grau de ações rápidas e fortes das pernas para que o corpo seja lançado ao ar.

53. *Faça experimentos de pulos e você descobrirá que há cinco possibilidades básicas:*

   a) *dos dois pés para os dois pés;*

   b) *dos dois pés para um dos pés;*

   c) *de um pé para o mesmo pé;*

   d) *de um pé para o outro pé;*

   e) *de um dos pés para os dois pés.*

   Embora estas variações sejam muito naturais e toda criança delas se utilize ao brincar de amarelinha, no balé clássico são executadas segundo um estilo particular e denominadas:

a) sauté; b) sissonne; c) levé; d) jeté; e) assemblé*.

Ao sair do chão com ambos os pés ao mesmo tempo, como em (a) e (b), a elevação é obtida apenas pelas ações dos pés e dos joelhos.

54. *Explore diferentes modos de saltar com ambos os pés, considerando:*

    a) *planos de permanência;*
    b) *posição aberta ou fechada, quer dizer, pés fechados ou um pouco separados;*
    c) *graus de energia;*
    d) *velocidade de ação.*

    Quando o salto é iniciado com uma perna, como em 53 (c), (d) e (e), a outra perna pode ajudar na elevação, dando ao pulo o impulso de um vigoroso gesto para o alto, conforme sublinhado em 55.

55. *Dê um passo à frente com a perna direita e imediatamente lance o joelho esquerdo para a frente-alto, de modo que o pé direito seja forçado a sair do chão momentaneamente; a seguir, deixe que o peso caia sobre ele. Repita com o outro lado e continue com esse movimento de "pular" ("skipping")** várias vezes.*

    a) *Dê passos em diferentes direções;*
    b) *Mude sua frente com uma volta no ar.*

56. *Fique de pé sobre uma das pernas e mantenha a outra para trás-baixo, pronta para lançá-la à frente e pular com ela. Continue esse movimento de "saltar" de uma perna para a outra.*

    Varie estes saltos usando extensões diferentes:

    a) *na transferência de peso, isto é, perto ou bem longe;*
    b) *nos gestos das pernas, isto é, joelhos dobrados ou esticados.*

---

* N. da T. — Em francês, no original, de *a* a *e*.
** N. da T. — "Skipping" movimento de pular corda.

DURAÇÃO DA ELEVAÇÃO

Pulos altos e largos requerem mais tempo do que pulos baixos e perto. O correr consiste de uma série de pulos baixos e não particularmente largos. A velocidade é relativamente rápida.

57. *Prepare-se para dar um pulo com um pé alto, no ar, partindo de um pé, por meio de uma pequena corrida e caia sobre ambos os pés, baixo. Use uma unidade de tempo para cada passo corrido e duas para o pulo e a elevação no ar.*

58. *Experimente dar vários tipos de pulos, observando principalmente ações de perna rápidas e lentas:*
    a) *com ou sem volta;*
    b) *com ou sem gestos de perna em especial;*
    c) *no mesmo lugar ou saindo dele;*
    d) *antes ou depois de uma corrida;*
    e) *com a ação das pernas sendo detida durante o vôo, quer dizer, as pernas são mantidas numa posição particular quando no ar.*

COMBINAÇÕES DAS INDICAÇÕES DE CORPO, TEMPO, ESPAÇO E FORÇA

Pode-se compreender qualquer ação corporal como usando uma das várias combinações possíveis de corpo, tempo, espaço e energia muscular que já foram anteriormente mencionadas.

O número bastante alto destas combinações corresponde às possibilidades de atos de movimento, passíveis de serem registrados segundo um modelo lógico. A ordem exibida em tais combinações é melhor observada nos movimentos usados na dança, posto que são relativamente grandes e claros e, conseqüentemente, de mais fácil reconhecimento. A análise das ações corporais no esporte, na brincadeira, na representação teatral, no trabalho e na conduta cotidiana é baseada no mesmo "pensar em termos de movimentos" que se aplica à análise dos movimentos da dança.

Deve-se ressalvar que não existe, à base da ordem lógica da observação do movimento, qualquer método ou estilo especial de dança. Os bailarinos de todos os tempos e em todos os países pensaram e ainda pensam usando as indicações de movimento: essencialmente, espaço, tempo e energia. Por exemplo: todas as posições, passos e gestos do balé clássico podem ser descritos em termos de movimentos, sem que se faça menção aos nomes que convencionalmente lhe são atribuídos. Constituem uma forma estilizada e específica do vasto tesouro de movimentos possíveis ao corpo humano, o que é válido também para qualquer outra forma de estilos de dança nacional, de época ou histórica, incluindo aqui as danças exóticas. Cada estilo representa uma seleção especial de movimentos originados em características de épocas sociais, raciais e outras. Os movimentos livres do artista de teatro contemporâneo abarcam quaisquer das possíveis combinações de ações corporais.

59. *Observe as ações corporais:*

   a) *de uma pessoa em seu cotidiano;*
   b) *de uma pessoa representando um personagem numa cena de mímica;*
   c) *de um bailarino executando uma determinada dança de época ou nacional.*

   Analise-as dos seguintes pontos de vista:

   a) *quanto aos modos de utilizar o corpo: parte superior ou parte inferior do corpo, lados direito ou esquerdo do corpo, no chão ou fora dele, simétrica ou assimetricamente, movimentos sucessivos ou simultâneos em um ou ambos os membros;*
   b) *quanto ao espaço: direções e planos dos passos e dos gestos, mudanças de frente, extensão dos passos e gestos, forma dos gestos;*
   c) *quanto ao tempo: o rápido e lento dos passos e gestos; repetição de um ritmo; tempo de um ritmo;*

d) *quanto ao peso: tensão forte ou fraca, colocação de acentos, elaboração de frases a partir de períodos com ênfase e sem ênfase.*

60. Pode-se observar e analisar outras peculiaridades do movimento, tais como:

   a) *Várias partes do corpo podem executar atos de movimento diferentes ou semelhantes, simultaneamente. Vários bailarinos dançando juntos podem também executar atos de movimento diferentes ou semelhantes, simultaneamente.*

   b) *O movimento pode resultar num toque ou agarrar. Os pés, as mãos e outras partes do corpo podem tocar objetos ou pessoas. As mãos podem agarrar.*

A lógica exigida para se pensar em termos de movimento deveria em primeiro lugar ser desenvolvida a partir da observação e da descrição de movimentos simples, nos quais não surgem nem a simultaneidade, nem alguma outra correlação de membros, tais como o toque ou o agarrar. O único toque que pode ser objeto de consideração, desde o início, é aquele que ocorre quando primeiramente um pé e depois o outro tocam o solo antes ou depois de um passo.

Tabela V

FLUÊNCIA

Aspectos Elementares Necessários à Observação de Ações Corporais

Fluxo:	indo	interrompendo	detendo
Ação:	contínua	aos trancos	**parada**
Controle:	normal	intermitente	completo
Corpo:	movimento	séries de posições	posição

A fim de aumentarmos a nossa capacidade de reconhecer as ações corporais, será necessário que nos familiarizemos com mais variações do uso do corpo e de suas partes em conjunção com os componentes do espaço, tempo e peso. Isto será apresentado no próximo capítulo, que abordará mais detalhadamente o quarto fator de movimento-fluência o qual é subdividido em seus aspectos elementares na Tabela V.

CAPÍTULO 3

MOVIMENTO E CORPO

Parte II

Ao ENTRARMOS na segunda fase de nosso exame das ações corporais, o leitor deverá estar lembrado de que estas representam apenas uma dentre as várias considerações que participam da arte do movimento. Talvez seja a mais importante, pois o corpo é o instrumento através do qual o homem se comunica e se expressa. Em conseqüência, qualquer um que cultive esta arte, mas principalmente o artista de palco, tem de adquirir a habilidade para manifestar ações corporais nítidas, isto é, usar o corpo e suas articulações com clareza tanto na imobilidade quanto em movimento. Os movimentos de cada parte do corpo relacionam-se aos de qualquer outra parte ou partes, por intermédio de propriedades temporais, espaciais e tensionais.

No capítulo anterior, o leitor foi introduzido com os vários aspectos elementares destes movimentos, tendo sido levado a reconhecer como ações corporais as alterações ocorridas nas posições do corpo ou de suas partes, alterações que duram um certo tempo, ocorrem no espaço e empregam alguma força. Uma análise que se baseie nos fatores do movimento propicia o pensar em termos de movimento, ao passo que uma explanação do funcionamento do corpo, como dobrar, esticar, torcer, tende a enfatizar um conhecimento mecânico ao invés de um expressivo.

Em relação a isto, far-se-ão referências ao fluxo do movimento, que é um aspecto do fator de movimento — fluência (vide Tabela V). O fluxo é continuação normal do movimento, como a de uma corrente fluente, podendo ser mais ou menos controlado.

Se se pára completamente o fluxo das ações corporais, resulta uma posição. Se o fluxo for interrompido intermitentemente, produz-se um tipo trêmulo de movimento. Muitos dos exercícios do capítulo anterior pediam uma sucessão contínua de ações corporais. Seria aconselhável que o leitor retomasse umas poucas seqüências de movimentos, aplicando um controle consciente de seu fluxo normal.

a) Interrompendo-as intermitentemente, ou
b) parando por completo.

SEIS EXEMPLOS DE CENAS DE MOVIMENTO

As próximas descrições de situações, estados de ânimo e ações poderão eventualmente estimular o leitor a criar cenas de movimento para uma representação dramática, para mímica ou para dança, conforme o caso. Após tê-lo feito, poderá averiguar suas ações corporais segundo os pontos de vista previamente discutidos. Logo descobrirá, contudo, que ainda não foram dadas orientações adequadas para os movimentos do tronco, cabeça e mãos, bem como ainda não foram abordadas outras posições além da de pé, a saber, ajoelhado, sentado, deitado, nem tampouco as relativas ao centro de gravidade. Também importante é o estabelecimento de uma norma, segundo a qual se possam reconhecer as relações espaciais com pessoas e objetos. Todavia, o leitor será encorajado a realizar suas próprias descobertas.

1. Ao entrar na sala escura, o homem ouviu um rangido bem baixinho que o fez vibrar.

2. Após a colheita, as pessoas se reuniram na praça para se regozijarem, cantando e dançando.

3. Ela estava cansada e sentou-se para descansar. Pela primeira vez, tinha a oportunidade de calmamente rever a situação e, quando compreendeu que todos esperavam que ela assumisse a liderança, sentiu força e determinação inundando todo o seu ser, estimulando-a a continuar em seu caminho com ímpeto redobrado.

4. O ritmo vigoroso da música fazia com que sacudissem seus corpos para cá e para lá, enquanto seus pés carregavam-nos pelo chão afora, traçando no solo os desenhos mais esquisitos.

5. Ele se sentia excitado naquela vasta imensidão de espaço e estirou-se ao máximo para tocar os confins do mundo. Mas quando lhe pareceu que não seria capaz de manter esse contato, voltou-se para o ponto onde estava em pé, agarrando-se a este, pois aí seria o local onde ergueria sua morada.

6. Somente em sonhos é que ela se mostrava capaz de voar e ela se lembrava da bênção que era sentir seu corpo ser transportado e suspenso no ar e depois ser gentilmente depositado no chão. O levantar e o baixar alternavam-se numa repetição infindável, como as ondas do mar.

ANÁLISE DE AÇÕES CORPORAIS COMPLEXAS

Nas descrições dos exercícios que ora se propõem, faz-se referência principalmente aos movimentos do corpo no espaço. Lembramos ao leitor, porém, que se a expectativa é de que as ações corporais revelem — tanto para quem as executa quanto para quem as aprecia — aspectos da vida interior, os fatores tempo e peso do movimento também devem contribuir a seu modo. Conseqüentemente, é da maior importância que o leitor devote cuidadosa atenção aos desenhos rítmicos-dinâmicos que deverá desenvolver por si mesmo.

TRONCO

O tronco é aquela parte do corpo que inclui tanto a pélvis como as escápulas, sendo movimentado pelas articulações dos quadris. Suas ações são definidas pelos movimentos da coluna, que demonstram ser de grande versatilidade. Previamente, a cabeça será igualmente considerada como parte do tronco.

Há dois aspectos principais que poderão mostrar-se úteis na observação das ações do tronco:

a) Postura. A maneira normal de se carregar o próprio corpo é a ereta, ou seja, o tronco está "alto" e acima das articulações dos quadris. A postura tem basicamente a ver com a posição do tronco, o qual pode sofrer um número bem extenso de variações.

b) Movimento. O tronco pode acompanhar, contrapor-se ou substituir gestos dos membros, em particular os dos braços.

Em ambos os casos as ações do tronco dependem de que parte da coluna que participa, seja de modo sucessivo, seja simultâneo, de como a energia empregada é distribuída, com que velocidade são executadas e como são realizadas, fluente ou intermitentemente.

61. *Explore as possibilidades de movimentos direcionais do tronco (incluindo a cabeça), partindo da posição ereta. A coluna deve ser mantida imóvel.*

    Você perceberá que:

    a) o exercício é mais facilmente executado, para a área à frente do corpo, dobrando-se em ângulo na articulação dos quadris, ao passo que,

    b) para as áreas de trás, as pernas deverão participar da ação pelo menos até os joelhos, os quais estarão dobrados em ângulo;

    c) nas áreas imediatamente laterais, é provável que uma perna erga-se do chão.

62. *Explore as possibilidades de movimentos direcionais de partes do tronco.*

    Você descobrirá aspectos muito interessantes que são governados por alguns dos seguintes fatores:

    a) pequenas partes da coluna têm a capacidade de se moverem em diferentes direções, porém, sem mudança de planos;

    b) as duas extremidades da coluna — o topo (incluindo ou excluindo a cabeça) e a zona pélvica — podem igualmente se mexer em direções diferentes.

Todas as partes da coluna podem se movimentar:
i) separadamente, enquanto outras partes estão imóveis, ou
ii) em conjunto com outras partes, cada uma se movimentando de modo diferente.

PRINCÍPIOS DE MOVIMENTO DO TRONCO

Se separarmos os resultados das várias ações que descobrimos nos dois últimos exercícios, poderemos agrupá-los sob os seguintes títulos:

a) como circunferência, movendo num ângulo das juntas dos quadris;
b) como tenaz, ondulando a partir de uma ou ambas as extremidades do tronco;
c) como bojo deslocando a área central do tronco fora de sua posição normal.

As combinações destes princípios fundamentais podem ser observadas nas múltiplas ações do tronco — tanto em repouso, quanto no movimento —, ocorrendo freqüentemente numa extensão espacial bem-reduzida e envolvendo um uso sutil de diferenciações de energia e tempo. Será de grande valia redobrar a atenção dada às partes superior e inferior do tronco, na medida em que cada uma delas colabora com um conjunto diferente de membros.

Uma vez que todos os nossos movimentos e, principalmente, a postura corporal são influenciados pela lei física da gravidade, referir-nos-emos nesse sentido também ao "centro de gravidade" que, no corpo humano, está situado na zona pélvica e, na modalidade normal da postura, está situado acima do ponto de suporte.

A postura ereta do ser humano coloca em destaque as ações do peito e, neste caso, apercebemo-nos em especial do esterno, ao qual podemos nos referir como "centro de leveza".

Os ombros podem movimentar-se ao redor da coluna, do centro de leveza e entre si com bastante independência e também independentemente um do outro.

63. Execute um movimento trêmulo com os ombros, ou seja, uma série de rápidas ações que não envolvam o tronco e parem finalmente de modo tenso, tendo como conseqüência um porte assimétrico ("assimétrico" quer dizer que as colocações direcionais dos ombros diferem uma da outra). Depois de uma pausa, traga lentamente os seus ombros de volta à sua posição simétrica normal, erguendo a cabeça alto. Repita algumas vezes.

64. Execute a mesma seqüência de movimentos do Exercício 63, envolvendo agora uma ação definida:

    a) da parte superior do tronco;
    b) da parte inferior do tronco;
    c) de todo o tronco.

PEITO "OLHANDO"

A observação e a análise das ações corporais será muito simplificada se compreendermos que os movimentos de algumas das partes do corpo são realizados, consciente ou inconscientemente, em relação a um objeto externo ou ponto de interesse.

Este fato se evidencia com total clareza nos movimentos da cabeça, que muitas vezes resultam em dirigirmos nosso rosto para alguma coisa que desejamos olhar. Neste sentido, podemos nos referir igualmente às palmas de nossas mãos e às solas de nossos pés como "olhando" na direção do objeto que deverá ser aproximado, tocado, agarrado, chutado.

Podemos atribuir semelhantemente a função de "olhar" à frente do peito, tendo o esterno como seu centro, o que facilita a análise daquelas ações do tronco que levam a um torcer.

65. Fique de pé, com as pernas separadas e "olhe" com o esterno uma vez, à direita-frente e outra vez, à esquerda-frente. Cuide para que a parte inferior do tronco ou região pélvica permaneça em sua posição original.

66. *Execute o mesmo movimento do Exercício 65, mas enquanto o peito se vira para:*

   i) *direita-frente, a parte superior do tronco, inclusive a cabeça, se volta para trás-alto;*
   ii) *esquerda-frente, a parte superior do tronco, inclusive a cabeça, se move para a frente-baixo.*

   Repita esta ação várias vezes e deixe que as pernas e braços auxiliem o movimento a se tornar fluente.

PÉLVIS "APONTANDO"

A parte inferior do tronco é muito menos móvel do que o peito e, por conseguinte, seguirá normalmente os movimentos do quadril, o qual "aponta" ou move-se numa determinada direção, à semelhança de todas as outras articulações.

67. *Mantenha os pés juntos; puxe o quadril direito para a direita-frente, enquanto que o esquerdo vai para a esquerda-trás; a seguir, jogue o quadril esquerdo para a esquerda-frente e o direito para a direita-trás. Faça este movimento várias vezes em rápida sucessão, terminando com o quadril direito para a direita-frente.*
   Repetir, começando com o quadril esquerdo para a esquerda-frente. Faça com que o peito se mantenha na posição original.

68. *Faça os mesmos movimentos de quadril do Exercício 67, mas, no momento em que o quadril direito vem à frente pela primeira vez, a parte superior do tronco, incluindo a cabeça, é impelida para a frente-cima. Deverá permanecer nesta posição durante o resto da seqüência. A parte superior do tronco é lançada para trás-alto no primeiro movimento da repetição e, novamente, deverá permanecer nessa posição até o término da seqüência.*

69. *Invente uma seqüência com contrastes rítmicos, combinando as ações do tronco, conforme esboçado nos Exercícios 65 e 67.*

Uma vez que é possível considerarmos que o esterno esteja "olhando" em direções tais como à frente-baixo e frente-alto, será um estudo interessante descobrir a diferenciação entre estas ações e aquelas às quais nos referimos como movimentos da parte superior do tronco dirigindo-se ou "apontando" para uma certa direção. De qualquer modo, a pessoa deve ter uma consciência bastante clara, de que áreas da coluna, peito e abdome:
   a) estão envolvidas na ação;
   b) pausando em sua posição original;
   c) foram sustentadas passivamente, como no caso das mudanças de posições do peito, quando toda a parte superior de tronco é deslocada de sua posição natural acima da pélvis.

OUTRAS PARTES DO CORPO "OLHANTES"*

Embora as mãos, os pés e a cabeça tenham até aqui sido considerados como integrantes das ações dos membros e tronco, respectivamente, eles podem também ter uma orientação própria.

Conforme mencionado anteriormente, em casos assim, as palmas das mãos, as solas dos pés e a face transformam-se nas áreas que se relacionam a uma direção do espaço para a qual "olham".

70. *Experimente fazer com que uma das palmas de suas mãos olhe*
    para baixo
    para cima
    para a frente
    para trás
    para a direita
    para a esquerda
    ou em qualquer outra direção.

71. *Repita o Exercício 70, usando a sola de um dos pés.*
    A realização deste exercício compreenderá equilibrar o corpo, em várias situações.

---
* N. da T. — "Looking" aqui foi traduzido por "olhantes", para dar o sentido especialmente forte que no original é ressaltado por aspas.

72. *Olhe com seu rosto em algumas direções.*
Você perceberá que, em muitas ocasiões, o tronco tem que ajudar na execução desta instrução, por exemplo, quando for olhar para trás. As palmas das mãos, as solas dos pés, o rosto e o esterno "olhantes" provocam muitas torções dos braços, pernas e tronco. O domínio das ações corporais é grandemente auxiliado por uma consciência aguda do grau de torção, bem como das possibilidades de sua extensão pelo envolvimento de áreas corporais vizinhas.

VOLTAS COM PARTES "OLHANTES" DO CORPO

Além de "olhantes", as palmas das mãos, as solas dos pés, o rosto e o esterno podem também girar. O eixo ao redor do qual giram relaciona-se com a direção do "olhante". No caso da cabeça e do peito, o ponto de referência giratório é o centro da área em movimento, enquanto que os pés giram em torno dos tornozelos e as mãos em redor dos pulsos (ou mesmo cotovelos). Esta idéia pode demandar uma certa adaptação inicial do leitor, uma vez que certos movimentos aos quais comumente nos referimos, como "dobrar", são de fato voltas. Por exemplo:

73. *O rosto olha para a frente, voltando-se alternadamente para a frente no sentido horário e no sentido anti-horário, tão longe quanto lhe for possível.*
Isto quer dizer que as orelhas direita e esquerda aproximam-se, cada uma por sua vez, dos ombros direito e esquerdo, respectivamente.

74. *O rosto olha para o lado direito com um giro no sentido horário (a orelha direita aproxima-se das costas).*
Rosto olhando para cima, ainda mantendo a volta no sentido horário, ou mesmo aumentando-a de acordo com a possibilidade conferida pela nova posição (o que traz a orelha direita para a frente).
Rosto olhando para o lado esquerdo e sustentando ainda a volta no sentido horário, tão longe

quanto possível (a orelha direita aproxima-se do esterno).
Enquanto o rosto vai sendo aos poucos movido à frente, a cabeça se volta no sentido anti-horário (a orelha esquerda se aproxima do ombro esquerdo).

75. Faça experimentos semelhantes com as palmas de suas mãos, começando do seguinte modo:
ambos os braços estreitos e para a frente
palma da mão direita olha para o lado esquerdo;
palma da mão esquerda olha para o lado direito;
ambas as mãos são giradas no sentido horário (isto fará com que as pontas dos dedos da mão esquerda cheguem perto do esterno e os da direita afastem-se dele).

Embora freqüentemente atribuamos uma proeminência expressiva às mãos, aos pés e à cabeça, no sentido de que parecem "olhar" nesta ou naquela direção, em outras ocasiões estes segmentos corporais apenas acompanham passivamente os movimentos daquela parte do corpo à qual pertencem. Nestes casos, as mãos participam das ações do antebraço ou do braço, os pés, das ações das pernas, e a cabeça das ações do peito ou tronco, não apresentando qualquer orientação própria.

TORÇÕES DAS PARTES "APONTANTES"* DO CORPO

Além das torções do tronco (que já foram discutidas quando dos Exercícios 65 a 69), podem ocorrer torções também nos membros, independentemente da influência de mãos e pés "olhantes".

Será interessante que se considerem os seguintes movimentos como rotações:
a) para dentro, quando o lado do polegar ou do dedão do pé de cada um dos membros, respectivamente, é virado em direção ao eixo central do corpo;

---
* N. da T. — "Pointing" — Apontante, ver nota anterior.

b) para fora, quando se viram para longe do eixo central.

O melhor meio para se iniciar tais movimentos é partir da posição normal dos membros.

Essas torções podem ser, por exemplo, observadas nos gestos dos braços e das pernas, quando estes membros executam um movimento contínuo na forma de um 8, ou na de uma curva em S, tal como se verifica no Exercício 18.

> 76. Repita o Exercício 18 com movimentos bem definidos de torção dos braços, combinando as posições iniciais de ambos os braços numa mesma rotação interna. Faça a rotação para fora ao se movimentar via frente para baixo. Acompanhe este movimento com uma rotação interna concomitante ao abrir de ambos os braços, cada qual para seu lado.
> Execute esta seqüência de maneira sucessiva, começando pelos ombros e concluindo com as mãos, assegurando-se de que o movimento continua fluente e flexivelmente.

PECULIARIDADE DAS TORÇÕES DOS BRAÇOS

As torções dos braços podem ser executadas sucessiva e simultaneamente; a rotação pode ser iniciada ou nos ombros ou nas mãos. Ao mover-se de maneira sucessiva, o braço todo vai se envolvendo apenas gradualmente na torção, ao passo que na ação simultânea a torção no braço todo se realiza de uma só vez.

> 77. Explore as várias possibilidades de torções nos gestos de braços, usando extensões diferentes do espaço e criando formas definidas. Em relação a isto, olhe mais uma vez os Exercícios 22 e 25.

PECULIARIDADE DAS TORÇÕES DAS PERNAS

As torções das pernas podem ser feitas exclusivamente de maneira simultânea, o que significa que a perna como um todo é girada interna ou externamente.

Somente os pés é que têm condições de uma rotação isolada. Quando as pernas são empregadas para dar apoio, decorrem várias possibilidades quanto aos estilos de ficar em pé e de dar passos.

POSIÇÕES DOS PÉS

Quando o peso do corpo é carregado por ambas as pernas, faz-se em geral uma distribuição entre as posições aberta e fechada: a posição fechada é aquela na qual as pernas estão juntas, a aberta ocorre quando as pernas estão separadas.

Várias formas podem ser observadas em cada um dos casos acima, as quais se baseiam nas várias relações espaciais das pernas, bem como no fato de que estas podem girar até certo ponto.

Presume-se que o leitor conheça as cinco posições básicas de pés que no balé clássico, são executadas com uma rotação máxima das pernas para fora, enquanto que na dança contemporânea e em muitos estilos de danças nacionais a rotação externa é menos pronunciada.

A primeira, a terceira e a quinta posições são fechadas. Cada uma por sua vez confere às pernas uma sensação e uma aparência cada vez maiores de estarem ligadas uma na outra, configurando uma só. Isto se deve ao fato de a partir de uma posição calcanhar com calcanhar, chegar-se a uma posição, calcanhar com dedos do pé, cruzando-se uma perna à frente da outra.

A segunda e a quarta posições são ambas abertas; uma delas acentua a simetria corporal direita-esquerda, conferindo ao corpo um apoio estável; a outra, uma postura frente-trás, representa uma posição mais aberta a partir da qual pode-se dar início à locomoção.

Numa posição aberta, o centro de gravidade está localizado acima de um ponto no solo, entre as duas pernas. Se uma das pernas erguer-se, o centro é transferido para uma posição acima da outra perna.

78. *Invente seqüências de passos nas quais ocorram pausas em diferentes posições.*
    Observe que você deverá deslocar seu centro de gravidade após ter feito uma pausa sobre ambos os pés, antes de dar o próximo passo.

79. *Combine gestos, passos e posições usando tipos diferentes de rotações das pernas.*
    Note que podem ser estabelecidas muitas posições abertas além das duas acima citadas, ao se empregarem tipos diferentes de relações espaciais entre as pernas, por exemplo, uma direção diagonal ou lateral cruzada.
    São igualmente possíveis posições abertas e fechadas nas quais o peso é carregado por uma das pernas enquanto a outra poderá estar tocando o chão.

80. *Explore modalidades diferentes de aterrissar num só pé, enquanto o outro toca o chão, após o pulo. Chegue semelhantemente após gestos das pernas, passos ou voltas levando de, via e para posições abertas e fechadas.*
    Preste atenção para usar, às vezes, rotações das pernas para dentro e às vezes para fora, até pés "olhantes" e "girantes".

PASSOS COMPLETOS E MEIOS-PASSOS

Podemos mencionar aqui que é possível distinguir passos completos de meios-passos.

Nosso modo comum de andar consiste de passos completos, ou seja, uma perna de cada vez ultrapassa a linha central do corpo, ao se movimentar de trás para a frente.

Um passo completo pode ser dividido em dois meios-passos.

81. *De pé sobre o pé direito, o esquerdo está colocado para trás-baixo, tocando o chão.*
    Passo: pé esquerdo para posição média; depois, o pé direito para frente-médio.
    Repetir algumas vezes.
    Note como esta seqüência de meios-passos provoca uma certa sensação de controle e impedimento, enquanto que uma seqüência de passos

completos dá uma expressão de liberdade. Muitos passos de dança são combinações destes dois, proporcionando uma ampla possibilidade de expressão, em movimentos de deslocar. Observe os Exercícios 4 e 5, os quais oferecem dois padrões básicos de "passos". O Exercício 4 consiste de: meio-passo, passo completo, meio-passo; o Exercício 5: passo completo, meio-passo, meio-passo.

82. *De pé sobre o pé esquerdo; a perna direita está do lado direito-baixo, tocando o chão com o dedão. Deslize rapidamente o pé direito para uma posição fechada, batendo o pé esquerdo para longe de seu ponto-base original e transferindo o peso para a perna direita.*

    Nesse ínterim, a perna esquerda se movimentou para o lado esquerdo-baixo, tocando o solo com o dedão.

    Repita a ação com o outro lado; a seguir, alterne os lados, observando para que o centro de gravidade mantenha-se no mesmo local durante o tempo todo.

MOVIMENTOS DO CENTRO DE GRAVIDADE

Conforme já assinalado anteriormente, o centro de gravidade na postura ereta normal do ser humano está situado acima do ponto de suporte.

Na realidade, quando o corpo encontra-se num equilíbrio estável, o centro de gravidade está localizado numa linha vertical em relação ao ponto de suporte. Quando se está de pé sobre os pés ou sobre as mãos, o centro de gravidade está acima do apoio; quando agachado, ambos os pontos estão no mesmo plano e quando está suspenso, por exemplo, em uma barra, o centro de gravidade fica abaixo do ponto de suporte.

83. *Movimente o centro de gravidade entre o plano médio (ou seja, quando as nádegas estão próximas ao pé que suporta o peso) e o plano alto, à medida que você dá passos largos e estreitos em diferentes direções. Introduza, nestas seqüências, pausas em posições abertas ou fechadas.*

Observe que passos baixos, quer dizer, passos dados com os joelhos dobrados, conforme explicado por ocasião do Exercício 5, bem como passos altos, causam apenas leves alterações de plano do centro de gravidade. Estas alterações fazem parte da natureza dos passos, não constituindo movimentos deliberados do centro de gravidade. O mesmo se aplica à elevação normal acima do solo e às paradas de mão, quando os ombros são baixados em direção ao solo.

84. *Faça o Exercício 82, tendo o centro de gravidade no plano médio, ou seja, próximo ao pé de suporte. Este movimento se assemelha a um passo Russo, numa posição agachada.*

EQUILÍBRIO INSTÁVEL*

Até aqui, em nossas considerações sobre ações corporais, vimos trabalhando principalmente com o equilíbrio estável. No domínio do movimento, o equilíbrio instável desempenha importante papel. Este tipo de equilíbrio acontece quando o centro de gravidade tende a alterar sua relação vertical normal com o ponto de suporte.

Podem-se observar freqüentemente coordenações especiais de ações corporais, no ser humano, com a finalidade de contrabalançar a perda do equilíbrio ou de recuperá-lo.

Podemos distinguir duas maneiras principais de provocar a perda do equilíbrio:

a) o centro de gravidade é deslocado numa determinada direção do espaço, ao passo que a parte do corpo que suporta seu peso está inativa, ou

b) o apoio do corpo é removido sem que o centro de gravidade seja deslocado para qualquer direção do espaço.

Caso o corpo não execute algum movimento adequado para contrabalançar as situações, resultará uma queda em ambas as instâncias.

---

* N. da T. — "Labile" — Foi sempre traduzido por instável.

85. *Tente executar algumas quedas, iniciando-as por meio de movimentos do centro de gravidade.*
   a) *para a frente; neste caso, você cairá de cheio à sua frente.*
   b) *para trás; terá como conseqüência a posição sentada.*

86. *Faça o mesmo do Exercício 85 (a) e (b), mas impeça a queda dando alguns passos.*
   Isto conferirá aos passos um caráter específico de precipitação.

87. *Dê alguns passos rápidos e bem pequenos à frente, sem deslocar seu centro de gravidade; quando você estiver exatamente a ponto de perder o equilíbrio, reverta rapidamente os passos para trás (atrás da linha de gravidade).*
   Repita esta seqüência algumas vezes, até experimentar uma sensação de que as pernas foram varridas por debaixo.

88. *Invente suas próprias seqüências de ações, alternando como quiser entre o equilíbrio estável e instável, envolvendo diferentes planos do centro de gravidade.*
   Observe o efeito disto sobre o controle da fluência do movimento e sobre o tipo de energia empregada.

89. *Faça experiências com movimentos de voar e de cair, impelindo-se num salto do solo e inclinando o corpo obliquamente. Tente aterrissar de um tal jeito que o centro de gravidade não fique verticalmente colocado sobre seus pés.*
   Se você não estiver contrabalançando essa instabilidade de algum modo, você irá cair no chão e provavelmente rolará um pouco antes de parar.
   O corpo se encontra em seu mais *instável* estado de ação quando o seu centro de gravidade é impelido diagonalmente para cima ou quando cai numa direção diagonal para baixo, estando fora de alinhamento em relação ao seu apoio normal.
   O corpo está em seu mais *estável* estado de ação quando o centro de gravidade está em alinhamento vertical acima do ponto de apoio.

SUPORTE DE PESO SOBRE VÁRIAS PARTES DO CORPO

As ações corporais envolvidas em suportar e em transferir o peso para várias partes do corpo, tais como joelhos, quadris, tronco, ombros, cabeça, cotovelos e mãos, serão aqui mencionadas apenas porque poderão talvez acrescentar alguns aspectos novos e importantes de observação e de análise*.

As principais posições nas quais o corpo se detém ou está em repouso, além da ereta são:

ajoelhada — sentada — deitada.

POSIÇÕES SENTADA E DE JOELHOS

Entre as posições de ficar em pé, na vertical, e de deitar, na horizontal, encontramos as de ficar de joelhos e as de sentar; estas últimas podem funcionar como estágios transicionais durante uma mudança gradual entre as duas situações extremas. Evidentemente, podem ocorrer enquanto posições por si mesmas, cada qual apresentando sua própria gama característica de expressões corporais.

90. *Explore as possibilidades de ajoelhar sobre os dois joelhos. Observe a relação espacial dos joelhos:*
    a) em posições fechadas;
    b) em posições abertas.

91. *Ajoelhe-se "alto", "médio" e "baixo", ou seja, quadris acima dos joelhos, quadris meio baixos, quadris nos calcanhares.*

92. *Explore quais as direções de que você pode se utilizar quando transferir o peso da posição em pé para um ou ambos os joelhos:*
    a) ao mesmo tempo;
    b) um após o outro.

93. *Explore se há ou não alguma limitação direcional na transferência de peso para um ou ambos os quadris a partir da posição ajoelhada.*

---

* Juntamente com outras, são explicadas com muitos detalhes no livro Handbook of Kinetography Laban (*Manual de Cinesiografia Laban*), de Albrecht Knust.

Note que as direções para trás ou meio para trás levam a posições sentadas, ao passo que todas as demais produzem alguma forma de posição deitada. A fim de chegar a estas, estando ajoelhado, deve-se primeiramente transferir um pouco do peso para uma das mãos, antes de ser possível dar continuidade à ação do quadril.

POSIÇÕES DEITADAS

O peso, nestas posições, é apoiado no tronco todo, envolvendo semelhantemente as regiões dos quadris e dos ombros.

94. *Execute ações com o corpo que levem a diferentes posições deitadas. Use várias direções espaciais, principalmente para a transferência de peso para a região dos ombros, os quais devem estar relacionados ao apoio anterior, nos quadris.*

Verifique que somente ao transferirmos o peso para os quadris e ombros direto-frente ou direto-atrás é que caímos de cheio no chão; no primeiro caso, sobre o abdome e, no segundo, sobre as costas.

95. *Comece pela posição ajoelhada e transfira o peso para o torso ou para partes dele, enquanto faz uma pausa com os joelhos, isto é, enquanto permanece sobre eles. Poderão resultar torções do tronco.*

É interessante notar as várias formas de postura que o corpo pode assumir nas seguintes situações: de pé, ajoelhado, sentado e deitado.

Estas posições são profundamente influenciadas por fatores corporais de estrutura e função, tais como:

a) a coluna e sua extensão *"de agulha"*;
b) a simetria direito-esquerda do corpo e sua superfície *"de muro"*;
c) os membros, e suas respectivas regiões do tronco, enrolando-se e curvando em formas *"de bola"*;
d) ombro, cintura e pélvis contorcendo-se uns contra os outros à maneira de um *"parafuso"*.

Em suas experiências com o suporte do peso corporal em várias situações, aperceba-se da postura particular assumida pelo corpo e sua forma.

Nem sempre é fácil descobrir os nossos parâmetros direcionais, quando estamos deitados no chão ou virados de ponta-cabeça. Cabe aqui relembrar que a gravidade sempre atua verticalmente para a Terra e que nosso sentido de direção está relacionado a este fato, ou seja, para cima é sempre para cima, seja lá o que for que esteja em cima, a cabeça ou as pernas.

Quando você estiver deitado sobre seu quadril e ombro direitos, por exemplo, seu peito estará olhando para a frente, as pernas estendidas para o lado esquerdo e o braço esquerdo poderá ser erguido para cima.

96. Invente transferência de peso para várias partes do corpo:
    a) simultaneamente,
    b) sucessivamente.

    Faça de modo tal que o peso seja totalmente transferido em cada uma das ações, ou seja, a(s) parte(s) do corpo que está(ão) suportando seu peso, em dado momento, no próximo poderá(ão) sair do chão.

97. Comece em posição ereta, sobre um dos pés e faça o Exercício 96 (b); após cada transferência, porém, o suporte é conservado (pausa). Executado deste modo, o exercício fará com que vários segmentos corporais, além do pé original, carreguem finalmente o peso do corpo. Retome aos poucos a posição inicial, realizando gestos de cada uma das partes que está levando o peso, sucessivamente, liberando-as de suas cargas.

    Observe que o centro de gravidade deverá ser erguido em alguma ocasião, caso contrário você permanecerá agachado sobre uma das pernas.

FORMAS DE LOCOMOÇÃO

Há várias possibilidades de locomoção se utilizarmos outras partes do corpo além dos pés, ou em conjunto com eles. Os pontos seguintes oferecem um rápido apanhado de como se pode realizar uma progressão através do espaço:

a) através de um contato contínuo com o chão, de maneira direcional;
b) liberando-se do contato com o chão e movendo-se em várias direções, independentemente deste;
c) através de algumas modalidades de voltas combinadas com direções espaciais. As rotações se relacionam aos três eixos do corpo:

  i) cabeça-pés,
  ii) frente-trás,
  iii) lado-lado.

98. *Investigue os seguintes movimentos no que se refere aos seus eixos em rotação e às direções de sua progressão através do espaço:*
   fazer uma "estrela" (*cartwheeling*)
   dar cambalhota (*somersauting*)
   rolar (*rolling*).

DESENHOS DE SOLO

Os desenhos de solo são produzidos pela locomoção, ou seja; i) pela orientação deliberada, nas várias formas de locomoção, ou ii) quanto à decorrência de deslocamentos ocasionais de peso, resultantes estes das várias ações do corpo, principalmente das que visam estimular a progressão através do espaço, como é o caso dos movimentos instáveis e de ampla extensão.

O domínio do movimento exige uma nitidez total do desenho, em cada caso. Os tipos de desenhos que serão produzidos dependerão do uso:

a) de direções espaciais particulares, com ou sem mudanças da frente, através de giro em torno de um eixo, e
b) ou de direções espaciais particulares concomitantes à mudança de frente que aconteça gradualmente, no decurso de algumas transferên-

cias de peso como, por exemplo, numa série de passos.

99. *Pavonear, saltar, engatinhar, arremessar-se e rastejar, usando a mesma direção para cada uma das transferências de peso para alguma(s) parte(s) do corpo.*
Seqüências de transferências de peso para uma direção configuram caminhos em linha *reta*.

100. *Faça o mesmo que no exercício 99, mas use direções diferentes.*
Seqüências de transferências de peso em direções que mudam abruptamente de uma para outra criam caminhos *angulares*.

101. *Produza um desenho no chão na forma de uma letra Z, por intermédio de alguns passos:*
    a) *sem mudança de frente;*
    Observe as direções de seus pés em cada fase do movimento.
    b) *mudando de frente, dando passos para o lado esquerdo durante o tempo todo.*

    Observe: (i) o local, no chão, onde o desenho irá aparecer em relação à sua posição inicial e (ii) quão longe você terá que girar em redor de um eixo em cada canto, a fim de continuar dando passos para a esquerda.

102. *Dê passos nas seguintes direções, sem mudança de frente:*
frente-direita, direita, direita-trás, trás, trás-esquerda, esquerda, esquerda-frente, frente, frente-direita.

    Você terá completado uma *curva*, criado um círculo. Observe que o valor direcional de cada passo exibe apenas uma leve alteração do precedente.
    Caminhos *curvos* podem também acontecer através de uma gradual mudança da frente do corpo, enquanto é mantida a mesma direção dos passos.
    Olhe mais uma vez o exercício 52, no qual você realizou um meio-círculo dando passos para trás; o centro disso está localizado ao seu lado direito.

103. *Produza um desenho no chão na forma de uma curva em S; esta consiste de uma curva dupla dobrada com dois centros diferentes. Durante todo o tempo, mantenha sua frente voltada primeiro para um deles e depois para o outro.* Comece o exercício de tal modo que, durante a mudança gradual de frente, na primeira curva, você dê os passos para o lado direito e que, na segunda curva, os passos sejam dados para a esquerda. No entanto, você deverá inserir uma mudança de frente (meia-volta) entre as duas curvas, a fim de fazer isso e olhar para o centro de cada uma.

MOVIMENTOS RELACIONADOS A PESSOAS E OBJETOS

Quando nos movimentamos, nós criamos relacionamentos mutáveis com alguma coisa. Esta alguma coisa poderá ser um objeto, uma pessoa ou mesmo partes de nosso próprio corpo, podendo ser estabelecido um contato físico com qualquer um destes.

Neste sentido, podemos distinguir três fases principais que são realizadas pelos movimentos corporais adequados:

a) preparação,
b) contato propriamente dito,
c) soltar.

O rosto e as mãos desempenham um papel relevante nesta seqüência. O rosto, como principal sede de nossos sentidos, terá maior destaque na fase preparatória, ao passo que as mãos — instrumentos naturais de apreensão — irão sobressair na fase do contato propriamente dito.

Podemos observar nitidamente quando os olhos ou ouvidos estão voltados para um ponto de interesse, ou quando as narinas se alargam para perceber um odor real ou imaginário, bem como o momento em que a língua lambe os beijos na antecipação de um sabor.

As mãos dos seres humanos são instrumentos magníficos, capazes de executar movimentos os mais complexos. Conquanto seja possível reduzi-los à sua função fundamental de segurar e repelir, as ações de cada um dos dedos em relação ao outro, bem como em relação aos objetos e pessoas, conduzem a uma variedade de situações, particularmente relevantes na segunda fase.

Consideremos mais detalhadamente as três fases. Pertencem à fase preparatória ações de "olhar", tais como para a face, mãos, pés e peito. Isto tem por resultado aquilo que poderíamos denominar de "endereçar" o ponto de interesse, o que pode ocorrer em uma direção.

Podemos, em seguida, "aproximarmo-nos" do ponto de interesse e "encontrá-lo", ou "rodeá-lo", ou "penetrá-lo". Ainda não se efetuou contato algum e pode-se utilizar qualquer direção espacial.

A aproximação, que envolve tanto a locomoção, quanto gestos, ou ambos, pode ser efetuada a partir de qualquer um dos lados do objeto em questão.

No encontro, é importante a relação espacial da localização dos sujeitos da ação, e existe uma total liberdade direcional (evidentemente, no contexto da situação). O rodear demanda o emprego de várias partes do corpo circundando o alvo, a partir de várias direções, enquanto que a penetração significa ir ao ponto de interesse a partir de uma única direção.

O contato propriamente dito pode ser efetuado:

tocando	a partir de qualquer direção
resvalando	ao longo de qualquer direção da superfície do objeto
transferindo o peso	de cima do objeto
carregando	por debaixo do objeto que descansa sobre alguma parte do corpo
segurando	em qualquer lado do objeto, rodeando-o com várias partes do corpo.

As ações corporais que provocam a liberação do

contato podem assumir uma direção qualquer, desde que levem a direção contrária ao objeto com o qual se efetuou o contato.

Ao relacionarmos nossos movimentos às pessoas e objetos, não há evidentemente qualquer necessidade de contato físico. O auge destes movimentos, por conseguinte, deve ser nos momentos de encontrar, de confrontar, de ultrapassar, de pular sobre ou de rodear, de rastejar ou de mergulhar, de abraçar, de penetração e outros semelhantes.

Tanto os parceiros quanto os objetos podem ser estáticos ou móveis.

Os objetos móveis como, por exemplo, uma bola batendo no chão, ou um arco girando no solo, atravessam o espaço segundo um trajeto definido. Peças de roupas, véus, xales, etc., que são vestidos e despidos podem ser igualmente considerados como objetos móveis; cordas, palcos giratórios, cenários e outras maquinarias teatrais que são movimentadas, podem também ser descritas quanto à sua relação espacial referente a pessoas e coisas.

Embora esses fatores mensuráveis de velocidade, força, direção e extensão sejam comuns tanto às pessoas quanto aos objetos em movimento, é bem evidente que os movimentos do corpo humano, são amplamente diferentes dos das máquinas. Até mesmo nas ocasiões em que o homem faz um trabalho e que as ações de seu corpo têm que cumprir com requisitos da função prática, distinguem-se os seus movimentos segundo sua expressão pessoal. Em algumas oportunidades, contudo, podem ser executados sem a participação interior, o que lhes confere conseqüentemente um caráter mecânico. Noutras vezes, porém, modulam-se ricamente conforme modelos peculiares de esforço que não têm qualquer serventia funcional. Uma vez que todos esses se originam das próprias raízes da personalidade, podem criar expressões características que se tornam visíveis na ação corporal.

CORRELAÇÃO ENTRE AÇÕES CORPORAIS E ESFORÇO

Conforme já mencionamos anteriormente, o esforço se manifesta nas ações corporais através dos elementos de Peso, Tempo, Espaço e Fluência. Não são todos estes fatores do movimento que são sempre significativos e, conforme o modo de se combinarem, produzem graduações particulares de ação.

O Peso, o Tempo e o Espaço foram quase que exclusivamente usados nas considerações anteriores. Isto ocorreu porque estávamos estudando um impulso particular de movimento do ser humano, a saber, a Ação. O impulso para a ação é caracterizado pela execução de uma função de efeito concreto no espaço e no tempo, por intermédio do uso da energia ou força muscular.

Num ser humano, tais ações sempre comportam elementos expressivos, o que significa não poderem elas ser determinadas pelo raciocínio lógico, nem tampouco apreendidas apenas por meio de fatores mensuráveis. Estão totalmente entremeadas por elementos que trazem à tona a qualidade e os atributos daquela espécie em particular.

Enquanto que os movimentos dos animais são instintivos e basicamente realizados em resposta à estimulação exterior, os do homem encontram-se caracterizados por qualidades humanas; por intermédio deles, o homem se expressa e comunica algo de seu ser interior. Tem ele a faculdade de tomar consciência dos padrões que seus impulsos criam e de aprender a desenvolvê-los, remodelá-los e usá-los.

O ator, o bailarino e o mímico, cujo trabalho é o de apresentar pensamentos, sentimentos/sensações e experiências, de modo conciso, através de ações corporais, devem não somente deter o domínio desses padrões, como também entender seus significados. Deste modo, enriquece-se a imaginação e aprimora-se a expressão.

A seguinte seqüência de movimentos servirá como introdução aos termos básicos de uma análise de movimentos necessária à compreensão mais profunda do movimento, que não é apenas a matéria-prima do atorbailarino, mas também se constitui num fenômeno fundamental à vida. *

Num corpo humano inerte, a única movimentação observável resulta da respiração. O levantar e o abaixar alternados do peso do peito ocorre no espaço. Também podemos ouvir essa respiração nos suspiros. Tanto o levantar quanto o abaixar do peito, como os sons da respiração, têm uma certa duração de tempo. O movimento todo que aí se observa está fluindo continuamente, não havendo qualquer interrupção perceptível. Se sentirmos o pulso, ou se colocarmos o ouvido no peito de um corpo em repouso, detectaremos um outro movimento contínuo: os batimentos cardíacos. Ao erguer-se, o corpo exibe um estado de movimento crescente. A respiração era até então apenas um leve movimento; agora, porém, que aumentou o peso a ser levantado, há maior tensão muscular enquanto o corpo todo é erguido e esticado verticalmente.

O esforço feito para levantarmos, no entanto, não é apenas composto por tensões musculares fortes ou fracas; é também constituído de formas espaciais variadas. No primeiro movimento — o de erguer-se —, o corpo se dobra e torce, apresentando conseqüentemente flexibilidade de todas as suas articulações; o segundo movimento — o de esticar-se — é direto. Os movimentos flexíveis se valem de várias direções espaciais simultâneas, enquanto que o de esticar-se para cima emprega menor número delas até usar apenas uma direção: para cima. A duração do ato de se levantar pode ser curta ou longa: pode tratar-se de um pulo súbito para o alto ou de um movimento sustentado no sentido de pôr-se na posição ereta. O movimento rápido não leva mais do que uma respiração ou um batimento cardíaco; já o controlado soerguer do corpo ocupa mais tempo, durante muitas respirações ou batimentos cardíacos. O fluir do movimento todo pode ser livre como na respiração regular, ou intermitente, como se a pessoa estivesse sem fôlego.

Peso, Espaço, Tempo e Fluência são os fatores de movimento perante os quais a pessoa adota uma atitude definida. O conjunto das várias atitudes poderia ser o seguinte:

— uma atitude relaxada ou uma atitude enérgica, quanto ao peso;
— uma atitude linear ou uma atitude flexível, no espaço;
— uma atitude curta ou uma atitude prolongada, frente ao tempo;
— uma atitude liberta ou uma atitude controlada, em relação à fluência.

Em todas as ações observamos uma combinação específica de vários destes oito elementos da movimentação; esta combinação particular é mais evidente nas assim chamadas ações básicas, nas quais os fatores Espaço, Tempo e Peso discerníveis são principalmente considerados.

São quatro as ações que usamos em geral, quando de uma pronta reação de nossa parte a um estímulo externo:

um soco* forte e direto,
um talhar* forte e flexível,
um pontuar* leve e direto,
um sacudir* leve e flexível.

No caso de haver resistência externa, ou de ocorrer hesitação interna, a ação será retardada e mantida, assumindo conseqüentemente as quatro seguintes modalidades:

---

* N. da T. — Soco ou bote, como já mencionamos, essas ações básicas são dificilmente significadas por uma palavra (como *bote* de um animal).
* N. da T. — Talhar, movimento de chicotear com chicote de domador.
* N. da T. — Pontuar, é uma batidinha muito leve.
* N. da T. — Sacudir leve, também pode ser agitar.

uma pressão forte e direta,
um torcer forte e flexível.
Sendo mais fraca a resistência, poderão acontecer:
um deslizar leve e direto,
um flutuar leve e flexível.

Os movimentos seguintes podem ser considerados como derivações das ações básicas:

Ação básica	Ação derivada
soco	empurrar, chutar, cutucar
talhar	bater, atirar, chicotear ou açoitar
pontuar	palmadinha, pancadinha, abanar
sacudir	roçar, agitar, tranco
pressão	prensar, partir, apertar
torcer	arrancar, colher, esticar
deslizar	alisar, lambuzar, borrar
flutuar	espalhar, mexer, braçada (remada)

As ações nas quais estejam quase que completamente ausentes, ou fracamente marcados, um ou dois dos elementos Tempo, Espaço e Peso, são tidas como ações elementares incompletas.

Nos movimentos causais que não sejam sustentados e nem súbitos, o elemento tempo não tem importância física; tais movimentos parecem compor-se apenas dos elementos Peso e Espaço. Isto significa que não há, por parte da pessoa que se move, uma atitude definida referente ao fator tempo. São ações elementares incompletas que freqüentemente podem ser consideradas como modalidades de transição entre ações básicas. Por exemplo, uma pessoa erguendo um saco muito pesado para os seus ombros iniciará um movimento com uma espécie de talhar que se transformará num movimento de torção. Pode-se observar, entre o talhar súbito e o torcer sustentado, uma fase de transição durante a qual mantêm-se os dois elementos do esforço que são comuns tanto no talhar quanto no torcer, a saber, força e flexibilidade, ao passo que desaparece qualquer ênfase que a qualidade de tempo possa ter, significando isto que não se percebe nem a subitaneidade, nem a sustentação do movimento. A torção que vai se transformando em talhar, como é possível observarmos num gesto vigoroso de rasgar, produz o mesmo tipo intermediário de esforço. Esses movimentos intermediários são descritos como ficando entre duas ações básicas. Em relação ao exemplo acima, as ações intermediárias recairão entre "torcer e talhar", ou descritas resumidamente como "torcer-talhar".

Há mais três ações incompletas que surgem freqüentemente no cotidiano:

O *pontuar-deslizar* é um esforço transicional que ocorre nos casos em que o pontuar se desenvolve em deslizar como, por exemplo, quando se escova um objeto leve. Poderá acontecer o mesmo tipo intermediário de esforço quando o deslizar desenvolve-se em pontuar como ao fecharmos uma pequena gaveta ou quando introduzimos uma ficha num arquivo.

Sacudir-flutuar acompanhará pequenos movimentos giratórios, como os que ocorrem quando ficamos girando os dedos, ou quando jogamos longe pequenos objetos.

O *soco-pressão*, que acontece quando o soco se desenvolve em pressão, pode muitas vezes ser visto em movimentos de reunir ou de modelar.

Estas ações incompletas podem aparecer não somente na qualidade de degraus entre duas ações básicas, mas também como movimentos cardiais. Por exemplo, pequenos movimentos que acompanham a fala muitas vezes são esforços incompletos nos quais é neutra a atitude relativa a um ou outro dos fatores de movimento. Se alguém diz "Ah, não tem importância", o ator poderá acompanhar suas palavras com um gesto diminuto que provavelmente será circular (flexível) e súbito. Deve-se, porém, acrescentar que há duas formas de movimentos súbitos e flexíveis: um deles talhar, que é forte; o outro, sacudir, que é leve. O pequeno gesto que acompanha as palavras "Ah, não tem importância", dificilmente será um talhar forte, ou um sacudir bem leve, mas alguma coisa entre os dois movimentos. Essa alguma coisa poderá ser descrita como "entre talhar e sacudir", ou mais resumidamente, como "talhar-sacudir", o que significa que o elemento peso mantém-se em segundo plano ou, na terminologia técnica, sem ênfase.

Vejamos a seguir rapidamente as oito ações básicas de esforço* e depois as ações elementares incompletas, bem como os impulsos para o movimento. Reconheceremos em todos eles os componentes mensuráveis que já vêm sendo amplamente considerados ao longo do texto. E vamos agora, também, prestar um pouco de atenção àqueles elementos humanos sempre inerentes a qualquer arranjo de esforço, não importando se este serve ou não a propósitos práticos, ou se sua natureza é expressiva.

AÇÕES BÁSICAS DE ESFORÇO

As oito ações básicas de esforço representam uma ordenação dentre as combinações possíveis dos elementos Peso, Tempo e Espaço, a qual é estabelecida de acordo com duas atitudes mentais principais que envolvem, por um lado, uma função objetiva e, por outro, a sensação do movimento. Embora nenhuma delas se dê na total ausência da outra, devido à unidade de esforço, cada uma delas pode tornar-se tão dominante que, por motivos de ordem prática, cabe considerá-las em separado. As duas atitudes foram anteriormente denominadas de "lutantes" ou "resistentes" e como "indulgente" ou "complacente".

---

* Estas são explicadas detalhadamente em *Modern Educational Dance* de R. Laban (1948) e em *Effort* de R. Laban e F. C. Lawrence (1947), ambos publicados por MacDonald & Evans.

A ação básica decorrente de uma atitude de luta é:

⌐— firme, súbita e direta, tal como encontramos nos movimentos de empurrar violentamente, socar, apunhalar, trespassar, etc.

A ação básica que está totalmente desvinculada desta e que surge de uma atitude indulgente é

—∪ toque suave ou leve, sustentado flexível, à semelhança do que se dá nos movimentos de *flutuar*, de agitar levemente, de voar, de arrastar, de despertar, etc.

Cada uma das duas ações de esforço anteriores formam um centro ao qual, três das outras seis ações, estão estreitamente relacionadas. Quando substituímos um elemento de cada vez por outro diferente, ou seja, por um que se origina de outra atitude, a ação original modifica-se. Neste sentido,

soco* ⌐— pode se transformar,

substituindo o seu elemento Peso, no seguinte:

∟— { um "gentil" empurrão ou pancadinha, beijocas ou bicar´ (pássaros) carícia de tapinhas ou, como geralmente se fala, *pontuar*.

---

* N. da T. — *Thrusting* e *punching* foram traduzidos como *soco*. Por motivos de terminologia técnica, o autor usou os dois como sinônimos; poderia ser também "bote" (de animal) ou estocada (de arma).

Se substituirmos seu elemento Tempo, ocorrerá a seguinte modificação:

um soco "sustentado" ou espremer, prensar, abarrotar, ou como normalmente se fala, *pressão*.

E trocando-se o seu elemento Espaço:

um soco "flexível ou chicotear, açoitar, arrebatar ou como vimos denominando-o *talhar*.

Pontuar, pressão e talhar configuram um grupo de ações básicas de esforço intimamente relacionado com soco (vide [A] a seguir).

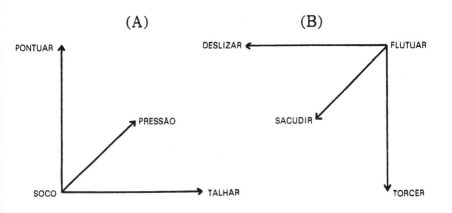

No outro grupo, torcer, sacudir e deslizar estão muito próximos a flutuar e remexer (vide [B]) e desenvolvem-se da seguinte maneira:

flutuar pode tornar-se:

pela substituição de seu elemento Peso: —	num agitar "firme", ou torcer, arrebatar, parafusar ou, como denominação usual, *torcer*.
pela substituição de seu elemento Tempo: —	num agitar, "súbito" ou palpitar, ou bater asas, ou *dar uma escovadela*, ou como geralmente se diz, *sacudir*.
pela substituição de seu elemento Espaço: —	num agitar "direto", ou escorregar, alisar, acariciar ou, como normalmente se denomina, *deslizar*.

ANÁLISE DOS ELEMENTOS DO ESFORÇO

Podemos definir os vários elementos do esforço do seguinte modo, na tentativa de analisá-los: há em cada um deles dois componentes, sendo que um deles é operativo e mensurável objetivamente e o outro, pessoal e classificável:

Peso: O elemento "firme" do esforço consiste de uma resistência *forte* ao peso e de uma sensação de movimento, *pesada*, ou sensação de peso.

O elemento "toque suave" ou "leve" do esforço consiste de uma resistência *fraca* ao peso e de uma sensação de movimento *leve*, ou ausência de peso.

Tempo: O elemento de esforço "súbito" consiste de uma velocidade *rápida* e de uma sensação de movimento, de um espaço *curto* de tempo, ou sensação de instantaneidade.

O elemento de esforço "sustentado" consiste de uma velocidade *lenta* e de uma sensação do movimento de *longa* duração, ou sensação sem fim.

Espaço: O elemento de esforço "direto" consiste de uma linha *reta* quanto à direção e da sensação do movimento como uma linha estendida no *espaço*, ou sentimento de estreiteza.

O elemento de esforço "flexível" consiste de uma linha *ondulante* quanto à direção e da sensação de movimento de uma extensão *flexível* no espaço, ou sensação de estar em toda parte.

Enquanto que nas ações funcionais a sensação do movimento não passa de um fator secundário, nas situações expressivas, onde a experiência psicossomática é da maior importância, sua relevância cresce. Em tais situações, temos condições de observar mudanças de ênfase dentro dos fatores Peso, Tempo e Espaço das ações corporais. Aparece também todo um conjunto de aspectos além dos de Resistência, Velocidade e Direção, o qual se torna particularmente importante para as sensações dos movimentos. São os seguintes os aspectos pertinentes:

do Fator Peso é o de Pesado ou Leveza,
do Fator Tempo é o de Duração ou Passagem,
do Fator Espaço é o de Expansão ou Plasticidade.

Tendo em vista os propósitos da análise das ações corporais, é útil examinarmos concisamente as variadas qualidades da experiência psicossomática. Estas podem ser coligidas e organizadas de modo semelhante ao que se usou com as oito ações básicas e referir-nos-emos a elas como as oito sensações básicas dos movimentos.

SENSAÇÕES DOS MOVIMENTOS

As duas fundamentais são:

a) isto como uma ação de esforço, trata-se do flutuar e a sensação do movimento que lhe é inerente é aquela que poderíamos chamar de *suspensa*.

No movimento acima, a experiência psicossomática:

da leveza é *leve*, como se se estivesse boiando em cima,
da duração é *longa*, como se se estivesse existindo num tempo interminável,
da expansão é *flexível*, como se se estivesse enrugada no espaço.

b) enquanto ação de esforço é soco, cuja sensação de movimento que lhe é intrínseca é a que se pode chamar de *deixar cair*.

Neste caso, estão todas diminuídas as experiências psicossomáticas acima mencionadas:

a de leveza se torna *pesada*, como se fosse arrastada para baixo;
a de duração se torna *curta*, como se se estivesse existindo num único instante;
a da extensão se torna *filiforme*, como se fosse conduzida através de uma abertura longa e uniforme no espaço.

As três sensações básicas dos movimentos que mais de perto se relacionam à sensação "suspensa" podem ser descritas do seguinte modo:

relaxada: nesta, a sensação de Peso se alterou e tornou-se *pesada;* por conseguinte, seus três componentes são:
pesado — flexível — longo.

excitada: nesta, a sensação do Tempo se alterou e tornou-se *curta*; por conseguinte, seus três componentes são:
leve — flexível — curto.

eufórica: nesta, a sensação do Espaço se alterou e tornou-se *filiforme*; por conseguinte, seus três componentes são:
leve — filiforme — longo.

As outras três sensações que se relacionam intimamente à sensação "deixar cair" são as seguintes:

estimulada: nesta, a sensação de Peso se alterou e tornou-se *leve*; por conseguinte, seus três componentes são:
leve — filiforme — curto.

afundando: nesta, a sensação do Tempo se alterou e tornou-se *longa*; por conseguinte, seus três componentes são:
pesado — filiforme — longo.

desmoronando: nesta, a sensação do Espaço se alterou e tornou-se *flexível*; por conseguinte, seus três componentes são:
pesado — flexível — curto.

As sensações de movimentos que propiciam experiências psicossomáticas são passíveis de observação nas ações corporais. São destituídas de propriedades objetivamente mensuráveis e podem tão-somente ser classificadas no tocante às suas qualidades, às suas intensidades e seus ritmos de desenvolvimento. São estados de espírito ou de humor que conferem às ações corporais um colorido especial.

O FATOR DE MOVIMENTO-FLUÊNCIA

Consideremos agora, com mais minúcia, o fator de movimento-fluência. Desempenha este um papel bastante importante em toda a expressão pelo movimento, pois que estabelece relacionamentos e entra em comunicação por via de sua corrente interna e externa. O fluxo tem principalmente a ver com o grau de liberação produzido no movimento, não importando se este é considerado do ponto de vista de sua dualidade subjetiva-objetiva ou dos contrastes de ser "livre na" — "livre da" fluência do movimento. Ao descrevermos a fluência incluímos na sua caracterização a sua negativa total: a parada ou pausa. A fluência* ainda comporta os movimentos de resistência e de contra-movimento; cada um destes é diferente em estado de espírito, e em significado, não se referindo ambos nem à direção, nem à velocidade, nem à força.

Consideramos mais atrás a propriedade básica do movimento, que é seu fluxo natural. E observamos então que, num de seus extremos, a fluência pode ser contínua, ou absolutamente parada. Agora que vamos tentar definir o fator de movimento-fluência, bem como seus elementos "livre" e "controlada", devemos levar igualmente em consideração a sensação de fluir do movimento.

Esta sensação se relaciona à facilidade de mudan-

---

* N. da T. — *Flow* e *fluency* foram traduzidos por fluência sempre que a terminologia de movimento assim o exigiu.

ça, tal como a que ocorre no movimento de uma substância fluida. Quando vai sendo atenuada a sensação da continuidade do fluir, pode-se falar talvez de uma "pausa", na qual percebemos ainda a continuidade, embora já mais controlada.

> O elemento de esforço de fluência "controlada" ou obstruída, consiste na prontidão para se interromper o fluxo normal e na sensação de movimento de *pausa*.

Esta talvez seja uma concepção algo difícil. Poderá, contudo, ajudar se percebermos que a sensação de fluência, o sentimento de ser carregada, não cessa na pausa, sendo, porém, controlada ao extremo.

Fluência controlada, portanto, quando associada a outros elementos do esforço, tais como o forte e o direto, confere ao movimento qualidade de restringir. Origina-se numa prontidão interna para parar a ação a qualquer momento dado. A fluência parece fluir para trás, ou seja, numa direção contrária à da ação.

> O elemento de esforço de fluência "livre" consiste num fluxo *libertado* e na sensação de *fluidez* do movimento.

A qualidade de esforço da fluência livre não deveria, porém, ser confundida com a mera sensação de continuar no movimento. Esta sensação é uma expressão de esforço ativada pela libertação do fluxo, que, dotado de uma capacidade emissora, auxilia o fluir para fora, ou seja, progressivo, característica da fluência livre.

Agora já será possível tabular os quatro fatores do movimento, bem como seus elementos de esforço, além de enumerar os aspectos contidos em cada fator, o que aparece na Tabela VI.

Tabela VI
ESFORÇO

Verificação dos Aspectos de Peso, Tempo, Espaço e Fluência Necessários à Compreensão do Esforço

GRÁFICO DO ESFORÇO
Representando os quatro Fatores de Movimento, cada um dos quais com seus dois Elementos
(P = Peso; E = Espaço; F = Fluência; T = Tempo).

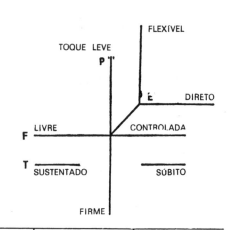

Fatores de movimento	Elementos do Esforço (lutantes)	Elementos do Esforço (complacentes)	Aspectos mensuráveis (funções objetivas)	Aspectos classificáveis (sensação do movimento)
Peso	firme	suave	Resistência forte (ou graus menores até fraco)	Leveza leve (ou graus menores até pesado)
Tempo	súbito	sustentado	Velocidade rápida (ou graus menores até lento)	Duração (longo ou graus menores até curto)
Espaço	direto	flexível	Direção direta (ou graus menores até ondulante)	Expansão flexível (ou graus menores até filiforme)
Fluência	controlada	livre	Controle parado (ou graus menores até libertado)	Fluência fluida (ou graus menores até parando)

AÇÕES ELEMENTARES INCOMPLETAS

Como já dissemos antes, podemos freqüentemente fazer a inusitada observação, no estudo das ações corporais, de que um dos fatores de movimento pode estar totalmente negligenciado e apenas dois deles parecem conferir-lhe forma. Em casos tais, fala-se de "esforço incompleto". Uma outra situação igualmente comum é a de que o fator de movimento fluência assumiu o lugar de um dos outros três, o qual permanece latente, deixando ainda que três fatores se mantenham em atividade. Nestes casos, as ações corporais são revestidas de uma qualidade francamente diferente que decorre de ímpetos de movimentos diferentes dos da Ação. Isto tudo significa que as forças propulsoras que levam à atividade podem ser compostas por outros fatores além apenas dos de Peso, Tempo e Espaço.

Os esforços incompletos e os diferentes ímpetos fazem também parte do movimento expressivo, quer sejam deliberados, quer sejam inconscientes, como ocorre com os movimentos de sombra.

As ações corporais que manifestam a participação de esforços incompletos expressam toda uma variedade de atitudes internas. Dentre elas aprendemos a distinguir seis em particular, que se agrupam em três pares de opostos; podem ser ilustradas como se segue:

Esforço Incompleto	*Ênfase no Movimento*	*Informando sobre*
1 (a)	Espaço e Tempo	Onde e Quando
1 (b)	Fluência e Peso	Como e O quê
2 (a)	Espaço e Fluência	Onde e Como
2 (b)	Peso e Tempo	O quê e Quando

Esforço Incompleto	Ênfase no Movimento	Informando sobre
3 (a)	Espaço e Peso	Onde e O quê
3 (b)	Tempo e Fluência	Quando e Como

É difícil atribuir nomes a tais variações de esforços incompletos pois relacionam-se à experiência e à expressão do movimento puro. Se o leitor se der ao trabalho de executar algumas ações corporais com os dois fatores de movimento mencionados, mas usando um elemento apenas de cada, por vez, talvez venha a concordar que as atitudes têm as seguintes características:

1
- (a) acordado — isto é, consciente, certo ou incerto, que pode surgir súbita ou gradualmente e que tanto pode ser contido quanto concentrado.
- (b) onírico — isto é, inconsciente, que tanto pode ser difuso quanto nítido, triste como exaltado.

2
- (a) remoto — isto é, de destaque, que pode incluir foco na atenção própria ou universal, junto com controle ou abandono.
- (b) perto — isto é, de presença, que pode ser dotada de um impacto caloroso ou de uma cuidadosa consideração; ou pode expressar ou uma forte ligação afetiva ou um toque superficial.

3
- (a) estável — isto é, de constância, que tanto pode apresentar-se resoluta quanto teimosa, ou sensitivamente receptiva. Pode igualmente ser sólida e poderosa ou delicadamente pontilhada.
- (b) móvel — isto é, de adaptabilidade, que tanto pode ser fácil quando tenaz, estabelecendo-se gradualmente ou mudando de súbito.

Estas atitudes muito freqüentemente aparecem como transições entre ações essenciais tendo, muitas vezes, a função de recuperação. Desempenham elas um importante papel na configuração dos elementos e dos fatores de movimento, os quais se constituem de agrupamentos e não apenas de meras somas. Tais configurações constróem unidades individuais em que os elementos constituintes isolados submergem inteiramente. O todo adquire, desta maneira, um significado, uma importância e uma função novos a cada vez e nenhum dos elementos isolados pode, por si só, pretender possuí-los ou preenchê-los por si próprio.

Ao considerarmos a combinação dos três fatores de movimento, chegamos a um conjunto básico de novas variações que, em geral, são notadas quando a expressão é mais intensa, mais pronunciada ou mais comunicativa do que na manifestação de atitudes internas.

Numa ação de esforço básica, a fluência se mantém latente e apenas os fatores Peso, Tempo e Espaço é que operam. Quando isto acontece, falamos de um "Ímpeto de Ação".

Gráfico representando o *Ímpeto de Ação*

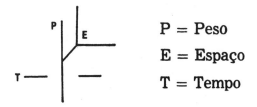

P = Peso
E = Espaço
T = Tempo

Quando a fluência substitui, seja com uma ou com ambas as suas qualidades (controlada ou livre), as qualidades do Peso, o ímpeto torna-se "como visão"*, porque agora não é mais suportado por um esforço ativo de peso, tendo reduzido conseqüentemente o seu significado corporal.

---
* N. da T. — *Vision-like* — Visão no sentido imaginativo.

Gráfico representando o *Ímpeto de Visão*

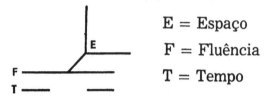

E = Espaço
F = Fluência
T = Tempo

Quando Fluência substitui o Tempo, quer dizer, quando deixa de existir alguma qualidade considerável de tempo, a expressão transforma-se naquilo que poderíamos denominar de "encantada". Repousa a atitude interna relativa ao tempo e o movimento irradia uma qualidade de fascínio.

Gráfico representando o *Ímpeto de Encanto*

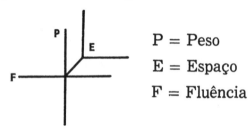

P = Peso
E = Espaço
F = Fluência

Quando a Fluência substitui o Espaço, não se esboçando nenhuma atitude particular referente à forma, ou seja, quando se acham adormecidas as qualidades espaciais, as ações corporais tornam-se particularmente expressivas da emoção e dos sentimentos. Falamos, nestas circunstâncias, de um "Ímpeto de Paixão".

Gráfico representando o *Ímpeto de Paixão*

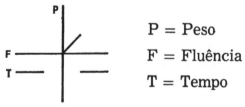

P = Peso
F = Fluência
T = Tempo

Podemos novamente colocar, para concluir, que o esforço e todas as suas múltiplas nuances das quais o ser humano é capaz de produzir se espelham nas ações do corpo. Contudo, as ações corporais que forem executadas com uma consciência imaginativa estimularão e enriquecerão a vida interior. O domínio do movimento, por conseguinte, não tem valor apenas para o artista de palco, mas para todos nós, na medida em que todos nos vemos a braços, consciente ou inconscientemente, com a percepção e com a expressão. O indivíduo que aprendeu a relacionar-se com o Espaço, dominando-o fisicamente, tem Atenção. Aquele que detém o domínio de sua relação com o fator de esforço-Peso tem Intenção; e quando a pessoa se ajustou no Tempo, tem Decisão.

Atenção, Intenção e Decisão são estágios de preparação interior de uma ação corporal externa. Esta se atualiza quando o esforço, através da fluência do movimento, encontra sua expressão concreta no corpo.

CAPÍTULO 4

O SIGNIFICADO DO MOVIMENTO

Os VIAJANTES que já estiveram em países habitados por tribos primitivas voltam relatando estórias estranhas de telegrafia por meio de ritmos de tambores, e de como a notícia da passagem da caravana do explorador por perto de alguma aldeia é transmitida, em grandes detalhes e a uma velocidade incrível, aos mais afastados recantos do país, através de sinais rítmicos emitidos por batidas de tambores e tan-tans. Poder-se-ia tecer um paralelo com o sistema telegráfico Morse, no qual certas combinações de vibrações curtas e longas significam letras que podem ser agrupadas para formar palavras e frases; as tribos primitivas, contudo, falam em geral línguas bastante diferentes e freqüentemente não têm qualquer conhecimento de outra combinação de sons e de ritmo de palavras além daquelas de sua própria gente. Destarte, o ritmo deve conter algum outro significado que, a despeito das prolongadas pesquisas, ainda constitui uma incógnita para os investigadores europeus. O ritmo parece ser uma linguagem à parte, enquanto que a linguagem rítmica transmite alguns significados, sem palavras. Os povos europeus contemporâneos parecem estar totalmente destituídos de inteligência no sentido de apreender o significado subjacente aos movimentos rítmicos primitivos.

Os investigadores estavam se debatendo com este problema já há vários anos, até que um nativo africano lhes deu uma pista bastante útil: a recepção dos ritmos dos tambores ou tan-tans é acompanhada pela visualização dos movimentos daquele que está tocando e é esta movimentação, um tipo de dança, que é o elemento visualizado e compreendido. O método se aproxima bastante do de uma ciência e é guardado por sociedades secretas com zelo incomum. A sensibilidade para a observação do movimento entre esses povos primitivos transformou-se numa espécie de língua nativa internacional, por intermédio da qual a comunicação pode cruzar todo um continente, de leste a oeste da África, por exemplo, o que significa milhares de quilômetros, a uma velocidade inacreditável.

Esta linguagem poderia ser comparada ao Esperanto e outras construções semelhantes, não houvesse a diferença de que tais construções são artificialmente elaboradas, ao passo que a linguagem dos tambores, que é uma modalidade de comunicação de esforços, nasceu, cresceu e aprimorou-se através dos tempos, a partir do próprio instinto rítmico do Homem. Nós perdemos esta linguagem corporal e há pouca probabilidade de que a possamos redescobrir ou, pelo menos, torná-la praticável em trabalhos teatrais. A abordagem da Natureza e da vida que presentemente adotamos difere total e fundamentalmente daquela usada por nossos ancestrais, que se movimentavam segundo o ritmo dos tambores. Há, não obstante, um atual recrudescer do senso do ritmo e do elemento mímico no teatro. Ultrapassaria os objetivos deste livro a apresentação de um quadro geral e detalhado da pesquisa sobre o movimento, embora o aqui exposto esteja baseado em sistemáticas investigações. Foram incluídos, no entanto, uns poucos aspectos da classificação histórica e analítica dos movimentos, na medida em que talvez se revistam de algum interesse para o leitor.

Descobriu-se que as atitudes corporais, durante o movimento, são determinadas por duas formas principais de ação. Uma destas formas flui do centro do corpo para fora, enquanto que a outra vem da periferia do espaço que circunda o corpo, em direção ao centro do corpo. As duas ações que fundamentam estes movimentos são as de "recolher" e de "espalhar". O recolher ocorre em movimentos de trazer alguma coisa para o centro do corpo, ao passo que o espalhar pode ser observado ao empurrar-se algo para longe do centro do corpo. O recolher é um movimento mais flexível que o de espalhar, o qual é uma ação mais direta. A curva do movimento numa ação de recolher vem precedida de um movimento para fora, semelhante ao de espalhar para longe do centro do corpo. Este movimento preparatório, porém, tem menos ênfase do que o seguinte para dentro, de recolher, que justamente se constitui no propósito principal da ação.

Os nossos membros, trabalhando independentemente, podem efetuar muitas combinações destas duas ações. É possível, por exemplo, que um braço recolha enquanto o outro espalhe e até mesmo no próprio braço não é impossível que a parte superior espalhe enquanto o antebraço e mão executam um movimento de recolher. O oposto é verdadeiro quando se trata de uma ação de espalhar; o afastar para longe do corpo constitui seu objetivo primordial e qualquer abordagem de aproximação preparatória perto do corpo não é enfatizada, sendo de importância secundária.

Num passo em que o peso do corpo é transferido para uma das pernas e em que a outra encontra-se livre, esta pode ou dar o passo seguinte ou executar uma ação que consista de um movimento de recolher ou de um de espalhar. É possível afastar com o calcanhar enquanto os artelhos recolhem. Assim como o braço e a mão têm condições de executar ações contrastantes, as pernas e pés podem igualmente fazer o mesmo, bem como quaisquer outras duas partes do corpo. Certas combinações de movimentos de espalhar e recolher são características de épocas determinadas da história e de lugares determinados do mundo.

O modo mais natural de se movimentar é o estilo do movimento harmonioso, comum às antigas culturas grega e romanas. Pequenos desvios deste ideal harmonioso não chegam jamais a deformar o movimento a ponto de transformar a atitude numa desarmonia. Os hábitos de movimentação das tribos primitivas, porém, parecem aos olhos e à mente do europeu como grotescos ou desarmoniosos. As formas grotescas das danças mouras foram introduzidas na época das Cruzadas, mas sua tortuosidade assimétrica foi ultrapassada por modas de movimento que ainda podem ser vistos nas esculturas que ornamentam nossas catedrais góticas. Constitui mero acidente o fato de essas obras-primas da arquitetura terem sido associadas, em determinada época, aos bárbaros godos. Nessas representações, cada membro do corpo, cada dedo da mão ou do pé, parece estar simultaneamente recolhendo e espalhando em diferentes direções do espaço, produzindo uma atividade própria. Por outro lado, temos aqui, uma mentalidade extensamente distante da de seus predecessores, a saber, a mentalidade greco-romana, que expressava combinações harmoniosas de formas de ação de recolher e de espalhar.

Embora não pretendamos oferecer sequer um esboço da história do movimento, pode-se adiantar que em certas épocas, em partes definidas do mundo, em certas ocupações, nos apreciados credos estéticos ou em habilidades com fim utilitário, algumas atitudes corporais são preferidas e usadas com mais freqüência que outras. Qualquer indivíduo pode identificar não apenas o ideal greco-romano de movimento, que ainda caracterizou as danças da corte da época elisabetiana, como também as atitudes primitivas de um estilo mais grotesco que persistiam nas jigas da mesma época. É fácil compreender como a seleção e o estabelecimento de preferências de certas atitudes corporais criam um estilo; apesar disso, devemos recordar-nos de que é nas transições de uma posição para outra que se verifica uma adequada mudança de expressão, o que determina a criação de um estilo de movimentos dinamicamente coerente. Podemos associar as atitudes corporais a movimentos de transição tanto grotescos quanto harmoniosos. É devido a uma peculiaridade do instinto da raça humana o fato de que qualquer desvio da moda ou estilo preferenciais de uma época seja considerado como anormal ou sem estilo, bem como o de que tais desvios sejam inclusive considerados feios ou errados. As comunidades parecem entender que é indispensável à manutenção da estabilidade do seu espírito comunitário uma determinada uniformidade no comportamento em movimentos. Tendem igualmente a enfatizar um ideal comum de beleza, muito freqüentemente associado a um valor utilitário, apreciado de modo especial pela comunidade de uma época específica. Vemos assim como é que as atitudes de guerreiros ou caçadores poderosos, de eruditos ou sacerdotes, de artesãos e artistas, bem como as dos preguiçosos parasitas da sociedade, nesta ou naquela época, são consideradas como as únicas atitudes belas e de estilo correto.

Os estilos de movimento foram úteis de alguma forma, em certo período ou em dado país, segundo as principais necessidades da civilização. As concepções utilitárias e estéticas parciais que levam as pessoas a dizerem que este ou aquele jogador de tênis, esquiador, batedor de beisebol ou artista de cinema "têm estilo", podem freqüentemente provir de detalhes mínimos de hábitos de movimentação. A pequena diferença de posições do pé, no recolher ou espalhar, por exemplo, poderá fomentar uma opinião favorável ou desfavorável quanto ao estilo de um atleta campeão ou de uma estrela de cinema. Quase todo mundo pratica essa avaliação subconsciente dos movimentos das pessoas. O artista, entretanto, tem que representar mais do que os estilos típicos ou a beleza típica. Seu interesse abarca todos os desvios e todas as variações do movimento. A representação da fealdade ou da falta de graça, ou melhor, daquilo que assim é chamado em determinadas épocas da história por diferentes povos, pertence tanto ao campo da arte de ator quanto aos ideais em voga do que sejam movimentos típicos. As combinações extraordinárias de movimentos muitas vezes estabelecem os pontos focais de um conflito dramático. As nuances mais sutis do estilo serão compreendidas só após um estudo detalhado do conteúdo rítmico das atitudes nas quais foram empregadas séries definidas de combinações de esforço.

A tradição do balé preservou uma grande quantidade de modalidades fundamentais de movimentos que podem ser consideradas como ações simbólicas. Tais modalidades são, por exemplo, "arabesques" e "attitudes"*. Se pesquisarmos até à raiz o significado de tais nuances de movimento, descobriremos que reside não na pose final, mas nos movimentos que levam a ela. Trata-se, entre bailarinos primitivos e crianças pequenas, da fluência flexível de um movimento de recolher, por meio do qual é apreendido um objeto. Este gesto de possessão contrasta com o de repelir, que é um movimento direto de espalhar ou empurrar. O apoderar-se e o repelir são necessidades fundamentais. Na dança tradicional, essas ações estão petrificadas em posturas ou poses corporais características. A forma direta é denominada "arabesque" e a flexível, "attitude". Evidentemente, não restou coisa alguma dos movimentos originais de recolher e de espalhar, que exprimiam respectivamente possessão e repulsa, dado que no balé clássico ambos encontram-se sublimados na suave representação de um estado de espírito satisfeito. Apesar deste fato, os numerosos "arabesques" e "attitudes" dos bailarinos são dotados de uma expressiva semelhança com ações das quais se originaram, conquanto não signifiquem mas apenas simbolizem os esforços internos similares. Em princípio, um símbolo não significa coisa alguma definida, mas suscita no espectador toda uma variedade de imagens. As necessidades fundamentais de possuir (agarrar) e de repulsa (soco), que se expressam mais diretamente na movimentação primitiva,

---

* N. da. T. — Em francês no texto.

no balé, acham-se dissolvidas numa ampla escala de formas harmoniosas que possuem tão-somente um caráter evocativo.

As ações comuns do dia-a-dia, que se evidenciam claramente nos movimentos do trabalho, constituem um dos estratos do mundo do movimento. Além deste, encontra-se um outro estrato nas piscadas, meneios de cabeça e exclamações comunicados no decorrer da fala. Aqui, os movimentos convencionais são substituídos por palavras. As artes dinâmicas da atuação teatral, do canto e da dança representam um terceiro estrato da expressão de esforços. Os movimentos executados no balé perderam a tal ponto sua conexão com os impulsos primitivos do homem para a ação que os relegamos a um domínio aparentado ao estado onírico. Nos nossos sonhos, embora possam ter alguma relação com nossas ações cotidianas, os movimentos são fantásticos. Os pesadelos, por exemplo, estão repletos de expressões de esforço aglomeradas caoticamente, exibindo alguma semelhança com os impulsos fundamentais de posse e repulsa. Nos sonhos harmoniosos, todo o medo que decorre da luta pela sobrevivência apresenta-se dissolvido num fluir suave de esforços, tal como ocorre na elevação ao ar, no flutuar ou no voar.

Se analisarmos as duas formas sublimadas do agarrar e do repelir, descobriremos que as poses chamadas de "attitudes" enchem o espaço muito mais do que os "arabesques". As "attitudes" evidenciam seu relacionamento com todas as dimensões: cima, baixo, direita, esquerda, frente e trás. É como se o espaço todo se comprimisse numa única e abrangente dimensão, oferecendo uma impressão estética semelhante à de uma orquídea, cujas curvas entrelaçadas criam uma unidade perfeita. As "attitudes" são poses finais que não podem ser mais desenvolvidas. Já os "arabesques" são de um caráter totalmente diverso. Não preenchem o espaço, mas irradiam-se do centro do corpo em direções definidas, não sendo também tão autocontidos quanto as "attitudes". Os arabesques endereçam-se rumo a algum ponto do mundo externo, não sendo poses finais. Pedem a continuação do movimento numa direção claramente indicada. Esta penetração do espaço, característica de um "arabesque", contrasta com a contida centralidade da "attitude".

A sensação do movimento, nestas duas poses, concentra-se no simbolismo que as formas espaciais revelam às pessoas sensíveis a impressões desse gênero. Num estado de atenção interna concentrada, quase todo mundo tem sensibilidade para tais impressões. A experiência do conteúdo simbólico e de sua significação deve ser deixada a cargo da compreensão imediata da pessoa que assiste ao movimento. Qualquer interpretação verbal dessa sensação interna será sempre alguma coisa como converter uma poesia em prosa, permanecendo continuamente insatisfatória no todo. Mas é possível e desejável ao ator-bailarino uma observação concreta do movimento, baseada em considerações realistas da conduta do homem no tempo e no espaço, e isto também serve para outras pessoas interessadas na arte do teatro.

A forma de arte na qual ainda hoje se cultiva a expressão visível do movimento é a dança de palco, que inclui a dança pura, por um lado, e as formas teatrais da dança, por outro, tais como o balé, a mímica e o drama-dança. Todas elas são acontecimentos reais, na medida que envolvam ações reais de corpos reais. Tais movimentos exibem uma forma mais estilizada na dança do que na representação. Nesta, bem como na mímica, os movimentos lembram mais o comportamento cotidiano. Um selvagem ou uma criança que nada soubessem sobre teatro poderiam confundir os acontecimentos de uma peça teatral com os da vida real. Já na dança isto não aconteceria, pois os movimentos dos bailarinos mostram, no geral, transformações tão oníricas das ações e condutas cotidianas que não pode ser confundido seu caráter simbólico. A dança usa o movimento como linguagem poética, ao passo que a mímica cria a prosa do movimento. É o arranjo das expressões de esforços da vida cotidiana em ritmos e seqüências lógicos e não obstante reveladores, que conferem ao desempenho teatral sua peculiaridade.

É interessante considerar-se o objetivo da transformação que constitui o balé. Um mundo profundo demais para ser traduzido em palavras, o mundo silencioso da ação simbólica, claramente revelado no balé, é a resposta a uma necessidade interna do Homem. Se não houvesse em nós nada que pudesse responder a este estranho mundo, ninguém jamais conseguiria assistir a um balé ou dança. O interesse pelo balé torna-se mais compreensível se percebermos que os momentos de movimento mais profundamente emocionantes de nossas vidas, em geral, nos deixam sem palavras e que, em tais momentos, nossa postura corporal pode bem ter a capacidade de expressar algo que seria inexprimível de outro modo. Apesar disso, hoje em dia não está na moda considerar que a mímica e o balé sejam mensageiros de coisas tão inefáveis; as pessoas de tipo mais sofisticado e cínico não têm muita chance de experimentar o tipo de vibração interior que as deixariam mudas. O balé hoje em dia tende a ser encarado principalmente como uma exibição de graciosos movimentos e belos corpos. Não obstante, o interesse mais profundo por este mundo do silêncio não pode ser tido como totalmente adormecido ou morto. Há muitas pessoas, talvez em número cada vez maior, que sentem serem nossas horas de vigília tão repletas de ações simbólicas quanto o são nossos sonhos e que também se faz necessário algum meio através do qual as ações dessa natureza possam exprimir-se a nível estético. Evidentemente, esse meio deverá ser encontrado na área dos movimentos que denominamos dança e mímica.

Mas o que são ações simbólicas? Certamente não se trata de meras limitações ou representações das ações comuns da vida cotidiana. Executar movimentos de serrar madeira, de abraçar ou ameaçar alguém pouco tem a ver com o verdadeiro simbolismo do movimento. Essas imitações dos atos do dia-a-dia podem ser até significativas, mas não são simbólicas. O homem, por via daqueles silenciosos movimentos, cheios de emoção, poderá executar movimentos estranhos que parecem sem significação, ou, pelo menos, aparentemente inexplicáveis. O curioso, contudo, é que ele se move de acordo com as mesmas ações por ele empregadas para serrar, carregar, consertar, amontoar ou fazer qualquer uma das demais operações cotidianas; tais ações, porém, surgem em seqüências específicas dotadas de ritmos e formas próprias. As palavras que exprimem sentimentos, sensações, emoções ou certos estados espirituais e mentais não são capazes de fazer mais do que arranhar de leve a superfície das respostas interiores que as formas e ritmos das ações corporais têm condições de evocar. O movimento, em sua brevidade, pode dizer muito mais do que páginas e páginas de descrições verbais.

Entretanto, os movimentos podem ser denominados e descritos e as pessoas que conseguem ler tais descrições e reproduzi-las podem chegar a perceber os estados de espírito por eles expressos. Os movimentos isolados são evidentemente apenas semelhantes às palavras ou às letras de uma língua, não dando nenhuma impressão definida, nem tampouco um fluir coerente de idéias. A fluência de idéias deve ser expressa em sentenças. As seqüências de movimento são como as sentenças da fala, as reais portadoras das mensagens emergentes do mundo do silêncio. A questão que daí emerge é a seguinte: pode-se encontrar alguma ordenação compreensível nestas emanações do universo silencioso? Em caso afirmativo, seria vantajoso esse conhecimento de princípios organizadores, ao ator-bailarino, assim como ao padrão geral da arte do movimento no palco.

A arte teatral tem suas raízes no desempenho audível e visível do esforço, manifesto por intermédio de ações corporais do ator-dançarino. Este, ao executar todos os tipos de movimentos implementais ou não implementais*, é, na verdade, uma pessoa real às voltas com ações corporais reais; o silencioso mundo das idéias e agitações interiores jaz à espreita de ser concebido de acordo com uma forma coerente, no seio destas ações. O executante acentua algumas destas formas estranhas emergentes do mundo do silêncio e da imobilidade; e, conquanto faça uso dos mesmos movimentos que um trabalhador qualquer emprega, organiza-os em ritmos e seqüências que simbolizam as idéias que o inspiraram. O ator comum relutará em admitir que o público aprecie sua arte com base numa análise subconsciente de seus movimentos. O fato é, não obstante, que o espectador deriva sua experiência a partir dos movimentos do ator. À sua própria maneira, o observador depura o material apresentado, conquanto aja desta forma basicamente de modo inconsciente. A forma de apresentação do artista efetivamente sugere alguns rumos aos quais possa seguir o processo de depuração do espectador, embora não determine este processo em sua totalidade. Apesar de serem poucos os movimentos do artista que tenham adquirido uma significação convencional, isto não altera o fato de que o significado é traduzido pelos movimentos. O uso exclusivo de movimentos com um significado fixo jamais resultará num trabalho de arte, pois é precisamente a combinação incomum de movimentos que os torna interessantes para o público.

A palavra *inspiração* deveria ser menos enigmática do que o era no passado, já que aparentemente a humanidade está aos poucos aprendendo a penetrar em maior profundidade no saudável mundo do silêncio. O trabalho de palco não sofisticado, comum, torna-se cada vez mais intolerável. Shakespeare mostra, em muitas de suas peças, o contraste entre ações que resultam, por um lado, de uma penetração no mundo do silêncio,

---

* N. da T. — Diz-se *Implemental* quando se usa qualquer objeto para o movimento.

e, por outro, as que resultam de uma imitação pura e simples da realidade. Parece que nos encontramos não apenas a ponto de descobrir uma nova modalidade de representar, como também que devemos recuperar o terreno perdido e readquirir o conhecimento possuído por nossos ancestrais há tantos séculos atrás.

O foco de interesse do artista no movimento só tem condições de ser claramente discernido se tentarmos avaliar no que consiste realmente o trabalho de atuar ou dançar. Este é um trabalho que não difere tão extensamente de qualquer outra atividade humana. O trabalho de um operário é lidar com objetos materiais, sendo-lhe imprescindível saber o que fazer com eles. O trabalhador poderá tanto valer-se de suas mãos nuas, quanto de um conjunto de ferramentas. De fato, as mãos não passam de ferramentas ligadas a nossos corpos, instrumentos vivos. O manuseio de objetos e instrumentos envolve movimentos que têm resultados práticos. A diferença, em relação ao ator-bailarino, é que ele trabalha com apenas um único instrumento: seu corpo. Os materiais de que eventualmente venha a fazer uso não se constituem em ferramentas nem objetos reais, sendo, isto sim, acessórios de sua movimentação. O uso dos movimentos do corpo inclui, tanto para o ator quanto para o cantor, o uso de suas cordas vocais. O artista de palco tem que exibir movimentos que caracterizem a conduta e o crescimento de uma personalidade humana, numa variedade de situações em mudança. Ele deve saber como é que se espelham nos gestos, na voz e na fala tanto a personalidade quanto o caráter. Ao utilizar-se desses movimentos, tem ele de comunicar para a platéia as idéias do dramaturgo ou do coreógrafo. Tem que saber como entrar em contato com o espectador. Deve ajudar o grupo todo de trabalho levando a si mesmo e aos demais atores a estabelecerem a corrente magnética entre os dois pólos — palco e platéia; tem ainda de treinar e controlar seus hábitos de movimentação pessoal, procurando atingir na mesma medida, um domínio geral de seu corpo e das cordas vocais. O ator-dançarino deverá ser capaz de observar seus próprios atos de movimentação, assim como os de seus companheiros. O estudo dos movimentos efetuado por um ator é uma atividade artística e não um mecanismo para descobrir fatos. Tentará este condensar, por via de seus estudos, as fases do esforço em ritmos e formas definidas. A semelhança entre os seus atos de movimento e os da personalidade representada pode diferir em exatidão do mesmo modo que difere qualquer outra modalidade de retrato ou descrição. Um retrato nunca é igual ao seu modelo. O modelo do ator é freqüentemente imaginário, mas seus atributos característicos só podem ser extraídos da observação da realidade.

A conduta em movimentos das pessoas pode ser observada sistematicamente e é útil ao ator de teatro aprender um pouco do que seja o melhor método de observação. A avaliação intencional da movimentação de um indivíduo deveria iniciar-se no momento mesmo em que ele é primeiramente avistado. O modo como a pessoa entra porta a dentro, como é seu andar até o instante em que se detém pela primeira vez, a sua postura de pé, quando sentada ou em qualquer outra posição podem ser todos dados de grande significação. Trata-se da tarefa do artista, ao criar uma caracterização lúcida e sutil, não apenas fazer aflorar os hábitos típicos de movimentos como também as capacidades latentes, a partir das quais possa originar-se o desenvolvimento definitivo da personalidade. O artista deve perceber que a própria caracterização que faz dos movimentos é que se constitui nos fundamentos sobre os quais deve construir seu trabalho. O controle e o desenvolvimento de seus hábitos pessoais de movimento pessoal conferir-lhe-ão a chave do mistério da significação do movimento.

Diz-nos a ciência que a mudança é um elemento essencial da existência. As estrelas que vagueiam pelo céu nascem e morrem. Crescem e desaparecem, colidem umas com as outras, ou ainda destroem-se pelo fogo. A mudança está em toda parte. Este incessante movimento ao largo de um espaço incomensurável e de um tempo indeterminável tem seu paralelo nos movimentos mais diminutos e de menor duração que ocorrem em nossa Terra. Até mesmo coisas inanimadas como cristais, rios, nuvens e ilhas crescem e desaparecem, aumentam e quebram, aparecem e desaparecem.

A mudança se transforma em movimento nos seres vivos, dotados de uma necessidade interna imperiosa de empregar o tempo e as alterações que ocorrem no tempo para seus propósitos pessoais. Desenvolvem-se em seres caracterizados por traços individuais sejam eles plantas, animais ou homens. Levado por suas necessidades espirituais e materiais, o homem cultiva relacionamentos pessoais com seus semelhantes. Em todas essas necessidades, o movimento tem o papel central. Vemos os movimentos dos animais quando estão construindo suas moradias, arrumando comida ou enxotando intrusos. Vemos danças religiosas nas quais os seres humanos oram para seus deuses. Ouvimos também os movimentos de suas línguas, gargantas e peitos ao produzirem sons, nas palavras faladas e nos salmos e hinos cantados.

Os movimentos internos do sentimento e do pensamento se refletem nos olhos dos homens, bem como na expressão de seus rostos e mãos. A arte do palco originou-se da mímica, que é a representação de movimentos internos por intermédio de mudanças externas visíveis. A mímica é o tronco da árvore que se ramificou na dança e no drama. A dança se acompanha de música, enquanto que o drama o é por palavras. A música e a fala são ambas produzidas por movimentos que se tornaram audíveis. O som musical suscita as emoções; as palavras faladas exprimem pensamentos. A qualidade musical das palavras, porém, também colore as palavras com emoção. Por exemplo, quando um namorado diz à sua namorada: "Olhe que campo!", esta tomará conhecimento, partindo da entonação expressa nas palavras, de uma emoção inteiramente diferente daquela que um camponês expressaria quando usasse exatamente as mesmas palavras: "Olhe que campo!", tendo em mente seu trabalho. Além disso, a fala é muito mais expressiva quando colorida por gesticulação mímica que a acompanha. Na realidade, porém, não há fala destituída de tensão corporal. Esta tensão é movimento em potencial, revelando mais aspectos das necessidades internas do indivíduo, às vezes, do que suas próprias palavras. O movimento permeia a mímica, a dança, a representação teatral e o canto. Trata-se da vida, tal como nós a conhecemos. Também se encontra presente na execução instrumental, na pintura de quadros, em toda atividade artística afinal. Em cada um destes casos, o movimento não só é um fato físico, como também é um fato de significação variada em suas sempre mutantes expressões.

As raízes da mímica são o trabalho e a oração. O trabalho assegura nossa existência material, enquanto que a prece garante nosso crescimento e desenvolvimento espirituais. O trabalho aproxima-se bastante da oração quando é realizado não exclusivamente com o fito de manter a vida, mas quando inclui também um propósito mais elevado. A representação artística teatral que expõe algum ideal pode, conseqüentemente, aproximar-se bastante da oração. Esta tem condições de aliar-se bem de perto ao trabalho. A elaboração de ideais, como ocorre tantas vezes no devoto **fervoroso, pode** ser um trabalho tão pesado, ou até mesmo **mais pesado,** do que o trabalho braçal. Poderá envolver o uso completo de todas as nossas energias. Os conflitos que surgem no trabalho e na oração são representados na mímica, no drama e na dança. Na antigüidade, a poesia dramática e a dança associada à música originaram-se da adoração; ainda hoje em dia é a verdadeira ordem de desenvolvimentos. No alvorecer do pensamento filosófico, todas as formas de arte compunham uma unidade; atualmente, constituem disciplinas separadas. Mas mesmo hoje em dia o drama às vezes se assemelha à dança e esta àquele, noutras oportunidades. As palavras podem estar repletas de música e movimento, ao passo que a dança e a música estão muitas vezes carregadas com as idéias que as palavras traduzem. Encontram-se vestígios da mímica, na era contemporânea, no teatro de marionetes, nas cenas de palhaços de circo e nas pantomimas, mas, além dessas modalidades de teatro, há ainda material suficiente para estudar-se o movimento visível no drama e no balé.

Verdade é que os movimentos de um ator ou de um cantor são raramente observados pelo público atual. É ponto pacífico o fato de o ator ou cantor ter de se deslocar de um lugar para outro, vendo-se obrigado às vezes a sentar-se ou levantar-se, ou ainda cair no chão ou nos braços do parceiro, ou em outras situações, exibir gestos expressivos de seus sentimentos. Se os movimentos e gestos do ator não forem muito desajeitados, pouca atenção consciente lhes dará o público. Há quem considere o movimento muito menos importante na representação teatral; para tais pessoas, o cenário, a cor, a iluminação e o guarda-roupa significam muito mais. A falta de estilo no cenário e no guarda-roupa é criticada com severidade muito maior do que o é a falta de estilo na movimentação. O colorido bizarro e atraente do pano de fundo obscurece a inexpressiva rigidez do ator ou cantor, o qual, não obstante, tem a obrigação de observar uma meticulosa discrição quanto aos seus movimentos corporais, para ser eficaz. Seria altamente benéfico para alguns artistas de teatro, além de vantajoso para largas camadas de público, que todos eles reconhecessem o fato de que a expressividade eficiente e o controle de movimentos é uma arte que pode ser dominada apenas pelos indivíduos que aprenderam o modo de dar livre curso de expressão aos seus movimentos.

O diálogo, no drama, e a letra de uma música podem explicar todo acontecimento, sentimento, sensação e emoção; a palavra falada pode ser eficientemente comunicada pelo rádio. As pessoas apreciam o drama radiofônico e poucos são os que deixam de assistir aos dramalhões apresentados de modo bem visível seja no palco, seja nos filmes. Sem dúvida, o ouvinte de um programa de rádio é o que menos sente falta do movimento visível, pois encontra-se perfeitamente feliz em escutar os movimentos audíveis das cordas vocais do artista e em ouvir as palavras. O movimento audível das cordas vocais torna-se quase que uma dança, no canto. À semelhança da dança, arte extremamente musical, o canto apela mais à emoção do que ao intelecto. Evidentemente, o balé não tem condições de dispensar o desenvolvimento total de movimentos corporais visíveis. Conquanto a música seja parte essencial do balé, a música de balé quando transmitida pelo rádio não proporciona o mesmo prazer de se ver o balé no palco. A música de balé de boa qualidade, que por si mesma satisfaz o ouvinte, aproxima-se ao máximo da música puramente orquestrada, na qual as impressões visuais do movimento são desnecessárias. A música orquestrada e a de concerto, em geral, não pertencem às artes teatrais, apesar de a música desempenhar um papel fundamental na ópera. É interessante observarmos, porém, que a música orquestral é produzida pelos movimentos corporais os mais precisos, por parte dos músicos. Não é tão importante vê-los, conquanto muitas pessoas tenham forte satisfação estética com as gesticulações de seus maestros prediletos e com os movimentos dos instrumentistas. Entretanto, os movimentos dos músicos são, em geral, tidos como movimentos de trabalho, nos quais a habilidade é mais importante do que o desempenho estético.

Segundo já mencionamos acima, a arte teatral da mímica é aquela em que o movimento corporal é todo-poderoso. A mímica é uma forma de arte quase desconhecida no mundo contemporâneo. A abordagem mais próxima da mímica era o cinema mudo, antes dos "falados". Quando a música de acompanhamento combina-se intimamente aos movimentos visíveis no palco ou tela, pode-se falar de dança-mímica, que é intrinsecamente diferente da dança, num certo ponto. A mímica se vale de uma linguagem gestual diferenciada, linguagem que pode ser relativamente bem-traduzida em palavras. Diálogos e solilóquios transpostos para a mímica podem ser entendidos e descritos verbalmente, pelo menos quanto aos seus elementos essenciais. Diálogos como tais são raros na dança, onde a sinuosa beleza do movimento, com sua música de acompanhamento, se constituem no principal meio de expressão artística. É da mesma dificuldade descrever uma dança em palavras e interpretar verbalmente uma música.

As tentativas de se descobrir um denominador comum para o significado dos movimentos no drama falado e na dança, já provocaram muitas dores de cabeça. Não faz assim tanto tempo que a moda de representar de modo abrupto se transformou de uma gesticulação pomposa num naturalismo destituído de toda e qualquer movimentação expressiva. Os dramaturgos, atores e produtores cansaram-se da exagerada e dançada modalidade de representação teatral de uma época saturada do sentimentalismo melodramático e se voltaram para a imitação, no palco, da vida do dia-a-dia. Foram, porém, incapazes de apreciar os quase invisíveis movimentos da mais sutil tensão inerente à conversa de duas pessoas no cotidiano, o que resultou num estilo morto de atuação, originado da imobilidade cênica por eles cultivada. Essas tentativas de se comportarem de modo naturalístico resultou num teatro vazio de movimentos. Dado que essa passividade não conseguiu interessar o público, declinou a procura pelos teatros. As platéias se desapontavam porque a coisa que desejavam ver lhes era recusada. Desejava o público não apenas ouvir, mas também ver a expressão dos vários conflitos decorrentes da busca humana por valores espirituais, emocionais e materiais; e acontece que estes conflitos expressam-se o mais claramente possível no movimento.

Uma vez que nem o velho e falso melodramatismo, nem tampouco o novo e aborrecido naturalismo conseguiam satisfazer a justificada expectativa do público, os artistas mais experientes tentaram retomar as fontes da expressão teatral. Uma das idéias centrais era a de que um ator jamais chegaria a uma organização de personalidade, tal como a que é necessária para a representação teatral, sem haver anteriormente experimentado o abandono total frente à necessidade apaixonada do ser humano de movimentar-se como o atestam a mímica e a dança. A tensão interior, característica da arte teatral, foi tida como útil no sentido de conferir vitalidade ao movimento morto do balé tradicional. Em ambos os casos — na nova arte da dança e na nova arte de representação — voltaram a ocupar o lugar de honra as regras fundamentais da antiga arte da mímica. O teatro está morto quando neglicencia-se a mímica e com ela a significação dos movimentos.

As pesquisas preliminares e os sucessos desta nova atitude perante o domínio do movimento no palco teriam permanecido problemáticas se um fator novo não tivesse contribuído na ampliação dos horizontes, no momento adequado. Surpreendente quanto possa ser, o novo fator é o movimento que se observa na indústria. Este fato talvez torne-se menos estranho se considerarmos que, ao longo de toda a história, o movimento no palco inspirou-se nas ações ocupacionais da parte mais numerosa da população: os operários. Falando em termos gerais, houve bem no começo da História, a inspiração que o ator e o dançarino derivavam de rituais religiosos, para sua movimentação. A seguir, o cerimonial das cortes imperiais e os exercícios de cavalaria deram o modelo das danças, bem como forneceram enredos e estilo de movimentos para o drama. E, atualmente, a revolução industrial ofereceu todo um conjunto de novos conceitos estéticos de beleza para as artes em geral, pois o recém-adquirido conhecimento da movimentação do operariado levou o pessoal de teatro para um novo tipo de domínio do movimento. Os processos de treinamento da habilidade e eficiência na indústria mostram muitos aspectos paralelos aos novos métodos de treinamento do artista de teatro contemporâneo.

Aqui há um fator de capital importância: a descoberta dos elementos do movimento. Seja o propósito do movimento o trabalho ou a arte, isto não importa, já que os elementos são invariavelmente os mesmos. A absoluta congruência entre os movimentos do homem no trabalho e nos seus movimentos expressivos se constitui numa revelação impressionante.

Os movimentos de um ser vivo servem-lhe, em primeiro plano, para que assegure o cumprimento das suas necessidades vitais. Esta atividade pode ser resumida por completo em um único vocábulo: trabalho. Não só os homens mas os animais todos trabalham em busca de comida e de abrigo, na caça, na construção de ninhos e no cuidado dispensado à prole e às suas necessidades pessoais. O trabalho envolve conflitos. Os seres vivos lutam com seu meio ambiente, com coisas materiais, com outros seres e com seus próprios instintos, capacidades e estados de espírito; a estes conflitos, o homens acrescentou a luta pelos valores espirituais e morais. O teatro é a tribuna na qual a luta no seio dos valores humanos é representada artisticamente.

Na arte da mímica, os movimentos visíveis do corpo são usados como os únicos meios de expressão; e é evidente que as ações de trabalho representadas na mímica sempre se constituem em expressão de idéias, destituída de qualquer propósito prático real. Um ator pode acender fogo a fim de transmitir a idéia de que o aposento no qual está representando está frio. Ele poderá estar representando num belo dia de verão, no qual faz-se desnecessário o aquecimento pelo fogo; ele, contudo, o faz sob a determinação do dramaturgo, com o intuito de mostrar que está com frio. Seus movimentos consistem de ações corporais, como o pegar achas de lenha, talvez quebrando-as, jogá-las na lareira. Ele treme, sacode os ombros, bate em seu corpo com os próprios braços, para aumentar a circulação sangüínea, tudo isto ao nível do faz-de-conta. Na realidade, ele até poderá estar suando e talvez preferisse recostar-se para diminuir sua palpitação do que continuar a acelerá-la com os exercícios. Os movimentos naturais de trabalho numa cena assim são uma óbvia imitação de ações de todo dia, tais como as que se usam para acender um fogo. O fato surpreendente, porém, é que esses mesmos movimentos podem ser empregados como movimentos expressivos.* Os movimentos executados quebrando madeira são golpes repetidos, usando os antebraços. É lógico que executamos movimentos semelhantes como resultado de uma excitação interna, sem o machado e a madeira, para significar o desejo de extinguir a causa da excitação, como alguém tentaria exterminar um inimigo. A ação de lançar ao fogo a lenha pode ser repetida com exatidão e destituída dos acessórios materiais, num gesto expressivo de rejeição de uma idéia ou proposta desagradável. Um movimento parecido ao riscar de um fósforo pode exprimir uma decisão mental precisa e súbita.

São incontáveis os exemplos de movimentos da vida cotidiana que podem ser aplicados à expressão de estados mentais e emocionais; há, porém, uns poucos (pressão, soco, torcer, talhar, deslizar, pontuar, sacudir e flutuar) que são ações básicas de um operário e, ao mesmo tempo, movimentos fundamentais à expressão mental e emocional. Os sons e palavras são formados pelos movimentos das cordas vocais, os quais originam-

---

*Aconselhamos o leitor a *executar* os movimentos descritos neste capítulo e nos seguintes. O domínio do movimento só pode ser alcançado através da experiência corporal (exercícios nos quais as ações são experimentadas repetidamente). Não é necessário o uso de objetos ou materiais, já que estes podem ser imaginados. A ênfase principal sempre recai na ação corporal.

se das mesmas ações básicas. Os sons podem ser produzidos por pressão, soco ou outros movimentos das cordas vocais e irão resultar em acentos de pressão e soco. Tais acentos são expressivos do estado de espírito interno da pessoa que fala.

A título de experiência, o leitor poderia tentar pronunciar a palavra "não" com o objetivo de exprimir várias nuances de significado; facilmente reconhecerá o fato de que pode dizer "não" dos seguintes modos, cada qual produzindo uma qualidade de som e uma expressão diferente:

— "não" com "pressão": firme, sustentado e direto.
— "não" com "sacudir": leve, rápido e flexível.
— "não" com "torcer": firme, sustentado e flexível.
— "não" com "pontuar": leve, rápido e direto.
— "não" com "soco": firme, rápido e direto.
— "não" com "flutuar": leve, sustentado e flexível.
— "não" com "talhar": firme, rápido e flexível.
— "não" com "deslizar": leve, sustentado e direto.

Ao acompanhar cada uma destas expressões sonoras com um gesto dotado da qualidade de ação indicada, o leitor conscientizar-se-á da associação entre movimentos audíveis e visíveis.

A descoberta de elementos de movimento que são idênticos tanto no trabalho quanto na expressão lança uma nova luz sobre a significação de movimentos audíveis e visíveis no teatro. O ator e o bailarino certamente beneficiar-se-ão com o conhecimento mais detalhado dos movimentos, o que os ajudará a reproduzir os personagens conflitantes. Mas, do mesmo modo que o pintor ainda não é artista, se souber apenas a composição de sua paleta, o ator e o dançarino terão necessidade de mais do que um mero esboço das ações básicas e de suas classificações. O artista e o bailarino, usando o movimento como meio de expressão, basear-se-ão mais no sentido do movimento do que numa análise consciente do mesmo.

A observação e a assimilação das características de movimento de uma pessoa são análogas ao relembrar de um tema musical. Se a pessoa tem condições de recordar uma ária, sendo capaz de reproduzi-la mentalmente, será mais tarde capaz de discernir tonalidades e ritmos isolados, detalhadamente. Será capaz, sem distorcer as proporções de força, de duração, do comprimento e de outras peculiaridades da fluência da música, através de uma memória musical herdada ou bem adquirida, de escrever, discutir e analisar a ária. A habilidade para observar e compreender o movimento é como um dom mas, como na música, também é uma habilidade que pode ser adquirida e aperfeiçoada por meio de exercícios.

É essencial àqueles que estudam o movimento no palco cultivarem a faculdade de observação, o que é de muito mais fácil consecução do que geralmente se acredita. Os atores, bailarinos e professores de dança usualmente possuem tal capacidade como dom natural, a qual, no entanto, pode ser refinada a tal ponto que se torne inestimável para os objetivos da representação artística. É óbvio que o procedimento do artista ao observar e analisar o movimento e depois ao aplicar seu conhecimento difere em vários aspectos do procedimento do cientista. Mas é muitíssimo desejável que se dê uma síntese das observações artística e científica do movimento já que, de outro modo, a pesquisa sobre o movimento do artista tende a especializar-se tanto numa só direção quanto a do cientista em outra. Somente quando o cientista aprender com o artista o modo de adquirir a necessária sensibilidade para o significado do movimento, e quando o artista aprender com o cientista como organizar sua própria percepção visionária do significado interno no movimento, é que haverá condições de ser criado um todo equilibrado.

CAPÍTULO 5

RAÍZES DA MÍMICA

A VIDA, tal como é vivida e refletida no espelho do palco, consiste de uma cadeia de acontecimentos. Alguns dos elos da cadeia, situações ou ações específicas, são mais importantes que outros. Os dramaturgos e coreógrafos selecionam as situações e atos que julgam ser os mais necessários aos seus temas, dirigindo sobre eles o "spotlight" do palco. Isto tudo quer dizer que, em termos de ações corporais e fala, as qualidades do movimento dotadas de uma estrutura espacial, dinâmica e rítmica são de importância especial, na medida em que é por seu intermédio que a representação torna-se articulada. Esta é a parte criativa do trabalho do artista, a qual deve sem dúvida ser adaptada ao conteúdo da peça ou, pelo menos, acompanhar um determinado "script" ou composição.

O público tem necessidade desta articulação entre pensamento, sentimento e acontecimento. Trata-se daquilo que a platéia deseja essencialmente ver e experienciar, posto que o curso da vida nem sempre permite-nos contemplar a origem e as conseqüências de todos os nossos atos. Desta forma, temos uma dívida de gratidão para com o dramaturgo e para com os atores que espelham para nós estes acontecimentos. Vamos ao cinema e ao teatro para vermos a vida humana, confortavelmente sentados em preguiçosa contemplação e, como se assim o fosse, através de uma lente de aumento. Esta atividade em ponto de aumento, porém, não é uma intensificação pura e simples do movimento expressivo. Os exageros na intensidade podem provocar uma representação forçada e isto deve ser naturalmente evitado. A precisão e a clareza da forma do movimento são mais importantes do que a intensidade da representação teatral.

O homem demonstra, por intermédio de seus movimentos e ações, o desejo de atingir certos fins e objetivos. Podemos referir-nos a estes últimos como sendo valores, tanto de natureza material quanto espiritual. O espectador de teatro, consciente ou inconscientemente, busca orientar-se quanto aos valores pelos quais o homem luta em várias situações. Ver, no palco, a representação das lutas internas do homem é um processo educativo para todos os que não são completamente insensíveis às condições da vida e do destino humanos. Se isto é verdade para o espectador, certamente o é também para o artista. Este deve saber como espelhar as condições da vida, bem como seu resultado provável, por meio de atitudes corporais selecionadas e de algumas qualidades de movimento; não fosse assim, os valores que ele deseja transmitir permaneceriam irreconhecíveis. O artista tem que aprender a ler e a demonstrar o comportamento das pessoas que encontra. Deve igualmente ser capaz de imaginá-los em várias situações, devendo ainda adquirir a arte de expressar a busca humana de valores, através do movimento. Os enredos de peças e coreografias podem estimular a imaginação do ator ao lhe apontar situações e conflitos, mas é o próprio artista quem deve selecionar e enfatizar os movimentos capazes de colocar os valores essenciais numa adequada perspectiva. Tudo o que acima dissemos pouco tem a ver com a psicologia tal como se a entende em geral. O estudo das lutas humanas ultrapassa o âmbito da análise psicológica. A representação por meio de movimentos é uma síntese, ou seja, um processo unificador que culmina na compreensão da personalidade apreendida no sempre-mutante fluir existencial.

Aquelas pessoas que passam ao largo dos outros homens, ignorando seus conflitos, sofrimentos e alegrias, perdem significativa parcela do sentido da vida e do que ela oferece. Perdem a oportunidade de experienciar aquilo que se oculta sob a superfície existencial, tendendo a ignorar o teatro, no qual são reveladas essas camadas mais profundas. Estas pessoas não percebem a significação dos indivíduos e das situações, e para elas o mundo freqüentemente não passa de um amontoado de acontecimentos sem sentido. O ator-bailarino não trabalha para este tipo de pessoa e, por seu turno, deve acautelar-se para não se deixar cair na mesma indiferença. A pessoa que não se interessa pelas lutas interiores de seus companheiros não é um ator, talvez não seja nem um ser humano. O vácuo existencial que resulta de uma tal falta de interesse e de simpatia significa a cegueira frente aos mais importantes valores da existência humana. Os cegos estão, em grande parte, afastados da vida que os circunda e de boa parte de seu significado. Estes infelizes não têm condições de apreciar a contento a grande variedade que o fluir da vida e seus valores têm a proporcionar. Apesar de imersos nela, a parte que os que não vêem desempenham na vida circunscreve-se à sua limitada capacidade. Devemos, porém, acrescentar, que os cegos freqüentemente desenvolvem outras faculdades muito surpreendentes, que servem a eles e à comunidade. Os indivíduos de visão interior têm consciência do fluir da vida, a que podem emprestar uma contribuição criativa. São pessoas ávidas para assistir, no teatro, à demonstração dos eventos da vida que enriquecem sua compreensão das situações, dos personagens todos e dos relacionamentos.

Não há ação humana destituída de conseqüências. Um ato realizado uma vez perpetua-se ao infinito numa cadeia de eventos que jamais teriam ocorrido não fosse por sua responsabilidade. "As coisas são o que são e as conseqüências serão o que serão", conforme já dizia Butler, o grande escritor inglês. O homem vai criando o seu destino mais ou menos conscientemente, mas os atos e omissões de seus companheiros interferem e modificam a luta criativa particular do indivíduo. O choque de personalidades em determinadas circunstâncias traça um desenho extremamente complexo, cujo contorno altera-se continuamente. Paixões em conflito, ternuras que conquistam, parcialidades violentas e hesitações ansiosas criam um labirinto de relacionamentos que não tem condições de ser completamente desemaranhado ou entendido apenas pela análise intelectual. É um privilégio da arte teatral auxiliar o espectador a compreender os atos vitais em sua complexa plenitude, despertando nele a capacidade de associar este labirinto de ações ao seu desejo inconsciente de valores. As pessoas lançam-se em busca de algo que lhes seja valioso. Esse valor pode ser material, moral ou espiritual mas é sempre um valor. O desejo dos valores gera conflitos tanto ao nível da vida interior do indivíduo, quanto no mundo externo, entre pessoas que cultivam valores diferentes e incompatíveis.

O dramaturgo e o artista, o músico e o bailarino, confrontam o espectador com situações e ações nas quais a grandiosidade ou pequenez da luta pelos valores, bem como a qualidade dos valores pelos quais se luta, evocam a participação de outros parceiros. O espectador adota uma atitude interna com relação àquilo que vê e ouve. Em casos extremos, chega a amar ou odiar (ou talvez até mantenha-se indiferente), não o ator ou o personagem por ele representado, mas todo o complexo de valores envolvidos na seqüência dramática. Mesmo em situações cômicas que suscitam divertimento, emergem fortes tais atitudes internas decisivas, referentes aos valores. Os movimentos do corpo e os sons vistos e ouvidos no palco mexem com a imaginação e provocam o desejo de olhar com olhos abertos aquele mundo vagamente discernível dos valores humanos. Eis aí a razão para o teatro: o desejo de travar relações com o universo dos valores. A pergunta à qual o dramaturgo e o ator devem responder, porém, não é: "o que é valioso no transcurso da vida?" mas, sim a seguinte: "como é que a busca de valores, responsável pela elaboração de modelos de movimentos da ação, interferem e se misturam nos destinos coletivos e individuais?"

Por sua natureza, o teatro é um espelho e não uma instituição passível de julgamento moral. O valor do teatro consiste não em proclamar regras de conduta para os seres humanos, mas em sua habilidade para despertar através do espelhamento da vida, a responsabilidade pessoal e a liberdade de ação.

A nossa forma atual de civilização tem talvez uma necessidade maior do que qualquer uma das anteriores de ser despertada em relação à apreciação dos valores. A velocidade da vida moderna não só mostra-se pouco adequada a uma tranqüila contemplação, como o próprio senso dos valores parece estar se atrofiando constantemente. Muitas das antigas instituições que se empenharam em guardar o tesouro moral dos valores das leis eclesiásticas e civis estão atualmente desacreditadas, fazendo com que o indivíduo se veja mais e mais abandonado às suas próprias decisões, para trabalhar o desenvolvimento de sua responsabilidade pessoal.

A arte teatral emprega os movimentos corporais e das cordas vocais com o fito de espelhar as tendências em relação aos valores, bem como os conflitos que daí decorrem. O anseio pelos valores é revelado pelo artista, no palco, segundo a movimentação expressiva, quer dizer, por meio dos movimentos corporais e mentais. Aquilo que o movimento deve esclarecer é o seguinte:

1) os caracteres das pessoas representadas;

2) o tipo de valores pelos quais elas lutam;

3) as situações que se desenvolvem desta luta.

Relativamente ao primeiro item, pode-se dizer que a caracterização pode ser menos refinada, apresentando-se típica da massa, e também mais sofisticada, relacionando-se a um único indivíduo. A cobiça e o modo furtivo de um ladrão, por exemplo, podem ser tipicamente representadas por mãos crispadas, com dedos na forma de garras, enquanto os braços e o restante do corpo mostrar-se-iam contraídos, de maneira sustentada e torcida. Este quadro contrastaria, então, com a movimentação leve e livre da vítima, o homem inocente, que seria apresentado de modo mais típico, com uma postura corporal direta e descontraída.

É evidente que pode ser mostrado um trecho qualquer da história da vida de uma pessoa, através de ênfases deste tipo ou de tipo muito mais característico. Variam ao infinito as circunstâncias e a disposição interna que levam um homem, ou uma mulher, a roubar. O ator-bailarino deverá fazer um minucioso levantamento das particularidades do personagem por ele representado, formulando as seqüências de esforço e o enredo dramático de conformidade com elas. Em termos de raciocínio por movimentos, a cobiça do ladrão, que acima caracterizamos superficialmente pelos punhos, garras e movimentos de torção, pode decorrer de qualquer padrão de combinação de esforços. Pode, por exemplo, evoluir de uma atitude fundamental na qual se evidencie a luta contra o Peso e o Espaço, sugerindo conseqüentemente um tipo de apatia e teimosia à guisa de disposição geral. Através do ritmo particular de repetidas ocorrências e variações do caráter do esforço básico, bem como através de afastamentos deste esforço básico, a personalidade do ladrão ganha profundidade em termos de seu esboço, sendo possível indicar-se o seu desenvolvimento. A imaginação de movimento do ator-bailarino poderá descobrir múltiplas combinações e seqüências de expressões de esforço diferentes, a fim de retratar a natureza específica de vários indivíduos desonestos.

Uma caracterização mais complexa do homem honesto conterá eventualmente características de esforços compatíveis com a facilitação e até o encorajamento do esquema necessário à caracterização do ladrão. A repetida ocorrência, nos esforços do homem honesto, de uma fluência progressiva, de uma maneira vagarosa direta poderá facilmente levar o ladrão a desenvolver características opostas que acentuem a sua falsidade. Por seu turno, reagindo à desonestidade, o homem honesto pode muito bem ser levado a manifestar ira, assim transformando seu movimento direto para o firme enroscar de uma ação de torcer, e espremer.

O segundo item, relativo ao tipo de valores pelo qual a pessoa luta, nos compele a classificar tais valores. Em primeiro lugar, cabe uma ordenação de cunho geral. A luta por valores ou bens materiais pode grosseiramente ser confrontada com a luta por valores espirituais ou mentais. Ainda empregando o nosso exemplo de honestidade e desonestidade, podemos dizer que os bens materiais são valiosos para o homem honesto e para o desonesto; ambos respeitam a propriedade, mas o homem honesto valorizará mais a idéia da propriedade do que a de sua aquisição. O ladrão, por outro lado, que ambiciona a propriedade de outra pessoa e subseqüentemente dela se apodera, o faz porque o seu valor é o ganho material. A idéia de propriedade é um conceito legal e, como tal, uma possessão intelectual ou mental. Transforma-se num valor espiritual quando o defensor do direito legal à propriedade deseja proteger a pessoa roubada daquele que a espoliou, e quando o motivo fundamental para tanto é justiça aliada à comiseração.

Temos aqui três espécies de valores pelas quais as pessoas podem lutar e cada uma delas exigirá um método diferente de apresentação pelo movimento. O conjunto básico de combinações de esforços empregado em cada caso revelará uma ênfase diferente e uma escolha particular das áreas corporais encarregadas de caracterizarem a expressão, ou seja, mãos, rosto, tronco e pernas em gestos, porte e passos característicos. Também haverá toda uma maneira diferente de desdobrar tais segmentos no espaço, tanto em relação a si mesmo, ou seja, em relação à forma dos gestos e da postura corporal, quanto em relação aos arredores imediatos, quer dizer, aos desenhos de locomoção.

O defensor dos seus direitos e posses poderá chegar a uma luta verdadeiramente corporal com o ladrão. Impelido pelo desejo de reaver o objeto roubado, seu arranjo de esforço (III) poderá assemelhar-se bastante ao do ladrão. Mas se ele estivesse defendendo os direitos de outra pessoa e lutando devido à pena e à indignação que estivesse sentindo, a princípio não se envolveria numa verdadeira luta física. A veemência de seus movimentos, neste segundo caso, tenderia mais a fluir para frente livremente nas suas qualidades gestuais de golpear, socar, ao invés de conduzir a um deliberado apertão, torção, característicos de uma ação aquisitiva. A diferença principal, contudo, aparecerá na expressão de satisfação quando o larápio for derrotado. O prazer decorrente da recuperação de um objeto perdido novamente estará se mostrando diferente daquele sentido ao se realizar um ato de compaixão. O impulso para a ação que tende a ter maior destaque na luta corpo-a-corpo entre o defensor de sua propriedade e o ladrão certamente ter-se-á transformado em um outro dos ímpetos para o esforço. Isto quer dizer que o fator de movimento fluência substituirá algum dos demais fatores, elevando assim o movimento para além de sua expressão física rotineira, para uma que exponha mais sentimentos e qualidades interiores.

Consideremos agora o terceiro item, relativo à situação na qual se dá a luta pelos valores. Talvez seja melhor fazermos isso retornando ao exemplo anterior que havíamos escolhido dentre a infinita variedade de eventos possíveis na vida, a saber, o do homem honesto lutando contra um ladrão, pois este exemplo encerra a luta por valores tanto espirituais quanto materiais.

Desta maneira, a cena seguinte apresenta situações que poderão sofrer alguma transformação através dos conflitos, entre vários personagens, pelas diferentes espécies de valores:

Uma mulher velha e pobre caminha trôpega pela

rua. Compra um pedaço de torta de um vendedor ambulante. Ao afastar-se do carrinho, deixa cair sua bolsa sem perceber. Um homem que a seguia apanha a bolsa, sabendo que era dela, e a coloca em seu bolso pensando que ninguém tivesse visto seu gesto. Depois vai se reunir aos colegas, na esquina. Descobrindo a perda, a mulher em pânico volta e freneticamente começa a buscar a bolsa. Aproxima-se do grupo de homens que estão parados na esquina e pergunta-lhes se nenhum deles a teria visto. Estes apenas zombam da velha. Desesperada, vai se afastando, quando é detida pelo ambulante que avança para o grupo de vadios e aponta o homem que, acertadamente, julga ser o ladrão. Este se desconcerta a princípio mas readquire sua coragem, apoiado pelos companheiros. Nesse ínterim, a velha se afastara do local, mas, em meio à discussão que se seguira, volta acompanhada de um policial. Os homens que estavam na esquina fogem. O vendedor segura o meliante que, por sua vez, atira a bolsa ao pés da mulher, sendo detido neste momento. Rejubila-se a velha mulher, frente à recuperação de seu único tesouro.

Nesta cena, a passagem do tempo criada pela série de situações permite, por exemplo, que um ator demonstre a capacidade do vendedor ambulante de sentir pena. Este sentimento terá que ser expresso em seqüências de esforço antes, durante e depois do seu encontro com o ladrão. Os acentos particulares sobre alguns esforços específicos, a princípio, poderão acontecer na forma de movimentos de sombra que acompanhem as ações de vender do ambulante, podendo, a seguir, ser desenvolvidas como transições de esforços incompletos característicos, entre suas ações de deter a velha, aproximar-se do grupo de homens e agarrar o ladrão. A satisfação por ele sentida quando a mulher recebeu de volta sua bolsa poderá novamente ser expressa por meio de movimentos de sombra que, desta feita, não acompanhariam nenhuma ação dotada de objetivo mas, sim, qualificariam de maneira significativa a postura de um homem que conseguiu preservar vivos os valores interiores da pena e da compaixão.

Deve-se notar que podem acontecer múltiplas variações nos temas de roubo, defesa, luta e vitória, requerendo cada uma delas a cuidadosa formulação da expressão de movimentos, segundo o valor e a situação do personagem.

Há um mérito grande em se inventar cenas desta natureza e em se tentar experienciar e exibir, através dos movimentos, as sutis diferenças de conduta que fluem da natureza íntima do homem e que, por seu turno, configuram o conteúdo básico da mímica*.

Proporemos agora algum material para a invenção de mímicas relativas à busca por outros valores internos. A observação consciente e a experiência dos esforços desencadeados no corpo terão grande importância tanto para o crescimento como para o refinamento da capacidade de fazer mímicas, de representar e de dançar.

Tanto um indivíduo bondoso quanto um brutamontes violento podem subjugar uma pessoa que seja fisicamente fraca ou delicada em algum sentido. O indivíduo bondoso, contudo, respeita a delicadeza e abomina a brutalidade, ao passo que o brutamontes aprecia o poder e suas vantagens materiais, deliciando-se em derrotar os fracos. É evidente que o bruto terá uma postura corporal bastante diferente daquela exibida por uma pessoa amável. Há, entretanto, uma diferença entre as posturas daquele que apenas deseja derrotar sua vítima e a do bruto que se alegra ao inflingir torturas espirituais, morais ou mentais. Apesar de não haver, no caso, qualquer relação com um objeto material, se o corpo da vítima não é considerado como objeto mate-

---

* O leitor deveria tentar executar e diferenciar a conduta do vendedor:
    a) como foi descrita no cenário acima, e
    b) como provavelmente teria se dado, se a bolsa tivesse sido roubada do próprio vendedor.

rial, há, não obstante, uma diferença nas lutas pelos valores que será expressa pelo uso de tipos variados de esforços. Trata-se da diferença entre um conflito patente e uma sutil tortura a qual se esboça na seguinte cena:

Uma desanimada empregada doméstica está arrumando a sala e pondo a mesa para seu patrão. Este entra e senta-se à mesa, ignorando completamente a moça. Esta lhe traz o seu café da manhã e, face ao seu estado de nervos, deixa cair um prato espirrando um pouco do seu conteúdo no casaco do patrão. Este, furioso, bate na moça, fazendo com que ela se encolha frente aos tapas. Ao sair correndo da sala, a doméstica esbarra com sua patroa que percebe a causa da confusão, mas mantém-se calada, naquele momento. A patroa recolhe os pedaços quebrados e senta-se. Logo depois seu marido sai de casa; aí chama a empregada. Esta entra aterrorizada mas é acalmada pela patroa. Evidentemente, o patrão e a patroa diferirão em sua organização de esforço, não apenas no decurso da cena esboçada neste exemplo, mas também em seus movimentos diários habituais.

Os personagens de uma peça são pessoas comuns que exibem combinações de movimentos de formas específicas. Os choques entre os personagens e a apresentação das soluções cômicas e trágicas de seus conflitos, que compõem o conteúdo mesmo da arte dramática, tornam-se visíveis nas mudanças de comportamento de movimento; e tais mudanças podem, às vezes, contar toda uma estória sem diálogos ou explicações verbais. Quase todas as cenas têm condições de ser executadas dramaticamente com diálogos ou na forma de cenas de mímica, sem diálogos. A dança, na qual os movimentos freqüentemente aparecem coordenados com a música, é evidentemente de outra natureza, pois que a dança não demanda conteúdo dramático. Apesar disso, há uma quantidade razoável de mudanças de características do comportamento de movimento, na dança não-dramática.

As danças históricas, folclóricas e regionais/nacionais são destituídas de conteúdo dramático e são freqüentemente usadas no drama no intuito de enfatizar o período estilístico da peça, o que muitas vezes é tomado como base para o organizado domínio do movimento na representação dramática. As danças não são simplesmente encaixadas no enredo ou na estória como se fossem uma modalidade especial de entretenimento; o movimento da dança colore as ações da peça, determinando os estilos de seu movimento. A apresentação shakesperiana, por exemplo, foi fartamente influenciada pelos movimentos das danças da corte elisabetiana, de origem franco-espanhola, bem como pela dança popular daquela época que permeava o espírito de quase todas as cenas cômicas. Encontraremos nas peças de Shakespeare, apesar disso, vasta gama de ações e paixões naturais que parece exigir, para ser representada, pelo menos em alguns lugares, o âmbito total das configurações de esforços humanos que não sejam influenciados pelas restrições de movimentos específicos da época.

Os grandes dramaturgos e compositores de balé jamais criam seus trabalhos com o intuito exclusivo de espelhar uma época. Retratam eles o homem em sua eterna luta: o conflito de suas paixões pessoais e naturais restritas pela moda passageira de movimento de uma dada época. O dramaturgo usa e precisa de ambas as formas de movimentos, a de um certo período estilístico e as outras, não irrestritas de esforço, formas estas através das quais surge o caráter real das pessoas. Toda pessoa tem a tendência de ampliar a gama de suas capacidades de esforço, sendo que essa ampliação se relaciona ao seu próprio desenvolvimento pessoal. O público, e o dramaturgo por conseguinte, estão muito interessados no desenvolvimento da personalidade, o que depende de um aumento na gama da capacidade de esforço.

A observação de esforço, quando a serviço de uma

caracterização, tem uma penetração nas atitudes interiores do homem que é realizada segundo um ângulo diferente daquele empregado quando se trata da investigação de períodos estilísticos. Ao estudar uma pessoa, o artista logo se apercebe de que os movimentos observados variam quanto à sua significância e à sua importância. Um registro exaustivo de toda a gama de comportamento de movimento ultrapassará a capacidade do observador, a menos que se trate ele de pessoa altamente treinada em determinação sistemática. No entanto, é possível aprender-se a observar alguns dos desenvolvimentos mais importantes no comportamento de movimento de um indivíduo, notando aqueles que se revestem de um interesse imediato. Por exemplo, pode ser visto que a pessoa em observação tem uma maneira toda sua de empregar várias partes de seu corpo. Se tratar-se de alguém que está sentado, chamará a atenção principalmente a parte superior do corpo: tronco, braço, mãos e cabeça, além de várias partes do rosto. Os movimentos das cordas vocais manifestar-se-ão basicamente na boca e lábios, sendo audíveis na tonalidade e no ritmo vocais. Os movimentos dos olhos, pálpebras e sobrancelhas devem ser objeto de detida consideração. Pousando em inúmeros pontos, em várias direções, os olhos ao se moverem são acompanhados pelo voltar-se, pelo erguer-se ou pelo abaixar-se do rosto. Em outras oportunidades, a cabeça poderá manter-se imóvel, enquanto apenas os olhos se movimentam.

Os movimentos dos dedos, quando manipulam ou brincam com os objetos, devem ser distinguidos dos da mão. Há uma certa vantagem em se desconsiderar os fins objetivos dos movimentos, confinando a atenção às mãos e outras partes do corpo, independentemente do fato de a ação executada ser ou não de caráter prático. O caráter das pessoas em atividade é melhor expresso em termos de movimentos, ou seja, através dos elementos Espaço, Peso, Tempo e Fluência, na medida em que se revelam nas ações corporais. Estes elementos comportam a chave da compreensão daquilo que se poderia chamar o alfabeto da linguagem do movimento; e é possível observar e analisar o movimento em termos desta linguagem. A pesquisa e a análise desta linguagem da movimentação e, portanto, da representação e da dança só pode ser fundamentada no conhecimento e na prática dos elementos do movimento, de suas combinações e seqüências, bem como no estudo de sua significação. As formas e ritmos configurados a partir de ações de esforço básico, de sensações de movimento, de esforço incompleto e do ímpeto para movimento, informam sobre a relação que a pessoa estabelece com seus mundos interno e externo. Sua atitude mental e suas participações interiores refletem-se em suas ações corporais deliberadas, bem como em seus movimentos de sombra que acompanham os primeiros.

Pode-se notar que todas as ações práticas fazem-se preceder de quatro fases de esforço mental que se tornam visíveis em pequenos movimentos corporais expressivos. Há a fase da *atenção* durante a qual examina-se e considera-se o objeto da ação e a situação na qual será executada; pode ser executada com uma atenção diretamente concentrada, ou de modo mais superficial ou talvez, ainda, com uma flexível circunspecção. No contexto da seqüência normal de esforço mental, esta fase é seguida pela fase da *intenção,* que pode variar de forte a leve. O tipo de tensões musculares produzidas em pequenas áreas corporais oferecerá a informação referente à determinação da pessoa para agir. A intenção de executar um movimento ativo pode ser abandonada antes de ser efetivada. A atenção da pessoa, por exemplo, pode ser atraída por um livro que esteja sobre a mesa. A pessoa aproxima-se da mesa e, de pé, olha diretamente para o livro. Torna-se visível sua intenção de lê-lo, por meio de uma certa tensão muscular em seu tórax e pescoço. Decide pegá-lo e sua mão move-se suavemente na direção do livro, mas, antes de o apanhar, lembra-se de alguma outra coisa que tem de fazer. Não tencionando mais ler o livro, deixa cair o braço.

Neste exemplo, nós já introduzimos a fase seguinte que é a da *decisão*, a qual, neste caso, foi evidenciada pela súbita sacudida da mão. Pode-se igualmente, e é óbvio, chegar gradualmente a uma decisão que se torne visível num mexer mais sustentado, lento, em alguma pequena região do corpo. Antes de ter início a ação objetiva há ainda uma outra fase passível de ser observada e que, a título de tentativa, pode ser denominada de a fase de *precisão*. Trata-se de um momento muito breve de antecipação da execução da própria ação a qual, muito freqüentemente, se não for familiar, está altamente controlada por um esforço de fluência controlada ou, caso contrário, apresenta-se descontraída carregada de fluência livre.

Estas quatro fases constituem a preparação subjetiva da operação objetiva e, em sua maior parte, estão muito fortemente condensadas, podendo depois ser transferidas (ou em parte ou totalmente) para a ação que concretiza a tarefa. No entanto, pode ser que as quatro fases ocorram ao mesmo tempo, que sua seqüência seja inversa, variada ou complicada, ou até mesmo que uma ou outra das fases seja omitida.

Os movimentos de sombra nos relatam o andamento de tais processos interiores e boa parte dos movimentos mais característicos de uma pessoa são aqueles por ela realizados inconscientemente, os quais precedem, acompanham ou são a sombra das ações planejadas. O indivíduo pode se coçar, esfregar o queixo, apertar o nariz, sacudir ou contrair os dedos, ou ainda executar outros gestos vagos, destituídos de significação prática definitiva, realizados apenas pelo movimento em si. Podemos referir-nos a tais ações como gestos subjetivos. Há outros tipos de movimentos como, por exemplo, acenar a cabeça, apontar com o dedo, piscar, acenar a mão no ar, que substituem as palavras "sim", "aqui", "ali", "olhe", etc. Denominamo-los gestos convencionais. Todos estes gestos, em geral, manifestam um esforço incompleto e apenas sob condições de excessiva excitação é que surgirão em sua totalidade como toda uma graduação de soco, deslizar ou outra ação básica. Os gestos convencionais, os movimentos de sombra inconscientes e as ações expressivas e funcionais executadas deliberadamente apresentam-se misturadas no comportamento de um indivíduo, da maneira mais completa. Podem aparecer em qualquer modalidade de seqüência, havendo a possibilidade de ocorrerem simultaneamente vários tipos de movimentos ou ações.

A compreensão do movimento vem por intermédio da descoberta das atitudes que prevalecem em relação aos fatores de movimento, ou estão ausentes, numa dada seqüência de movimentos. Um mesmo elemento pode estar presente em quase todas as ações, enquanto que outros eventualmente ocorrerão apenas em algumas delas, ao passo que outros ainda talvez estejam ausentes por completo. É como se alguém pudesse afirmar: este quadro é basicamente azul e aquele outro, basicamente vermelho. Pode haver no quadro azul, porém, manchas de outras cores, talvez até de vermelho, enquanto que outras, como o amarelo ou o verde, possivelmente, estejam faltando. Isto quer dizer que, apesar de a expressão pelo movimento de uma pessoa ser governada por uma modalidade de ação, por exemplo, deslizar, ainda há a possibilidade de estarem presentes outros tipos de ação, em particular os mais próximos ao deslizar, tais como pressão, flutuar e pontuar. As qualidades opostas, talhar ou golpear, podem ser principalmente vistas nos movimentos compensatórios, executados de modo inconsciente.

A natureza preponderante naquela ação e sua sombra podem ser observadas, ou nas reações da pessoa, diante de situações específicas, ou em sua conduta habitual de movimento. Certas reações serão muito improváveis para algumas pessoas, ou pelo menos excepcionais, mas raramente serão de todo impossíveis.

Temos pouca chance de ver uma pessoa lenta ou relativamente fraca numa conduta heróica ou ativa, exceto em circunstâncias extraordinárias. Atingimos aqui um ponto crucial, a saber, a possibilidade de alterar a composição habitual dos esforços. Mudanças vagarosas podem ser levadas a cabo por via de uma compreensão consciente da estrutura e do ritmo dos padrões habituais de esforço da pessoa, mas alguns destes poderão estar tão enraizados que se torne difícil modificá-los, ampliá-los e, conseqüentemente, trocá-los por outros.

Ao retratar um personagem, um ator tem não apenas que ser capaz de espelhar a organização geral de esforços do dito personagem, como também ter a habilidade para transmitir o desenrolar das suas atitudes internas, no transcurso dos acontecimentos da peça. Alguns personagens manter-se-ão possivelmente inalterados, pressagiando um destino trágico ou cômico para si. Outros desenvolverão um sentido tanto positivo quanto negativo, sendo sua adaptação às novas situações o aspecto essencial da peça. A este respeito, a alteração da organização habitual de esforços nas várias posturas e ações corporais constituir-se-á no meio essencial de que o ator poderá lançar mão para elaborar sua caracterização. A caracterização é uma arte e, à parte a verdade psicológica, há muitos fatores que determinam a escolha feita pelo artista das seqüências definitivas de movimento e esforço. Em sua primeira e intuitiva abordagem do papel, o ator bem como o bailarino poderão não estar percebendo as seqüências particulares de qualidades de esforço que escolheram. Durante o processo de trabalhar na sua parte, porém, dando-lhe uma forma e mentalizando-a, o artista tem de escolher conscientemente as frases, os ritmos e desenhos de movimentos.

Além de retratar o caráter de uma única pessoa, deve-se lembrar que a harmonia ou a desarmonia entre os personagens, na realidade, é a harmonia ou a desarmonia entre modelos de esforço.

Essas situações dramáticas são criadas por um tipo de química do esforço que resulta freqüentemente, como na própria química, numa explosão destrutiva ou na criação de novos compostos. A correlação de modelos de esforço de diferentes pessoas que estejam umas frente às outras é um aspecto especial do estudo da mímica, que se vale de um tipo de diálogo-esforço semelhante ao diálogo falado, no drama. Um diálogo-esforço entre uma pessoa delicada e um bruto, por exemplo, tem que revelar os detalhes de ambos os seus caráteres, e principalmente os de suas atitudes com relação a determinados valores. A pessoa gentil poderá ser levada, por um impulso caridoso, a auxiliar e proteger os fracos. Para tal indivíduo, a caridade poderá ter um valor mais alto que sua natural gentileza; poderia, por outro lado, parecer brutal ao se defrontar com o opressor de seu protegido. Um indivíduo violento, porém, além de ser cruel, poderá derivar uma grande satisfação de sua crueldade. A crueldade tem, para ele, um valor mais alto que o mero sobrepujar de sua vítima, sendo possível que sua crueldade assuma uma enganosa suavidade.

No diálogo-esforço destes dois tipos contrastantes, o homem bruto e o gentil, aparecerão muitas sombras de combinações de esforço. O bruto torna-se suave e aparentemente delicado, a fim de atingir seus malignos propósitos; o homem gentil parece ser duro e aparentemente brutal para conseguir seu fim caridoso. Estes esforços aparentes preludiam com freqüência o esforço revelador, pois a suavidade do bruto deverá finalmente modificar-se na sua violência habitual, assim como a agressividade do homem gentil deverá acabar cedendo terreno à sua delicadeza habitual. Mudar uma atitude indulgente numa atitude de luta envolve um aumento na força, ou na velocidade ou no movimento direto; a alteração de sentido inverso, de uma atitude de luta numa outra indulgente, demanda um aumento nas sensações de leveza, duração ou expansão do movimento. A mudança pode ter lugar em um fator após o outro ou em dois, ou em três deles ao mesmo tempo. Há uma probabilidade muito maior de dar-se uma modificação abrupta quando o violento, depois de uma suavidade ocasional, retoma sua brutalidade habitual, do que quando o indivíduo delicado tenta transformar suas maneiras naturalmente gentis em outras mais violentas. A raiva súbita de alguém geralmente gentil e alegre dissolver-se-á com lentidão, mas a suavidade de uma pessoa normalmente brutal, suavidade que se desenvolve lentamente, volta com rapidez para sua verdadeira natureza. Estas são probabilidades e não regras, porque o conflito dentro das várias configurações de esforço é muito complexo.

O fato é que o homem tem a habilidade de disfarçar a natureza de esforço bem como os padrões deste, até certo ponto. Esses disfarces enganarão apenas os indivíduos que não são observadores, apesar de os deixarem com uma vaga impressão de que alguma coisa está errada. Esta sensação resulta de uma observação subconsciente, ou melhor, de uma observação que não foi percebida em sua totalidade, pela consciência. Qualquer esforço de outra pessoa, que seja percebido principalmente por nossos olhos ou ouvidos, provoca uma reação de esforço que pode — mas nem sempre precisa — resultar num movimento facilmente perceptível, visível ou audível. O contra-esforço pode ter dois aspectos: pode ser semelhante ou dessemelhante ao esforço que causou a reação. Um indivíduo agressivo pode descobrir uma brutalidade latente numa pessoa amigável que ele ataque violentamente, mas essa brutalidade poderá diluir-se lentamente em suavidade outra vez, à medida em que a pessoa gentil começa a sentir pena da mente embrutecida de seu oponente. A suavidade da pessoa amigável poderá encontrar um eco longínqüo de simpatia no bruto, mas que será rapidamente transformado em crueldade interior e exterior.

Muitas nuances das qualidades de esforço aparecem nos movimentos de transição do drama. Freqüentemente, revelam uma interação contraditória de ritmos e formas, a qual indica os conflitos entre a atitude interna do personagem e sua conduta no meio ambiente. Conforme já dissemos anteriormente algumas vezes, as atitudes internas manifestam-se nos movimentos de pequenas partes do corpo e muitas vezes são dificilmente visíveis. A bem-conhecida expressividade dos olhos é ocasionada por contração e relaxamento dos músculos oculares. Tais movimentos têm uma série complexa de esforços básicos e incompletos que afetam as pupilas e os movimentos dos globos oculares. Assim que os impulsos nervosos e musculares, dentro das órbitas, espalham-se para as pálpebras, sobrancelhas ou outros músculos do rosto, o esforço interno torna-se externamente mais visível e passível de ser controlado. O esforço pode se estender aos músculos maiores e, finalmente, a toda a musculatura do corpo, o que então passa a ser visível na forma de posturas, gestos e passos. As reações do músculo ocular, porém, não são as únicas que expressam reações internas. Também a respiração pode ser influenciada por impressões surpreendentes e até mesmo os batimentos cardíacos podem ser igualmente afetados. Alterações glandulares poderão somar-se aos efeitos da resposta de esforço. E todos estes impulsos internos podem assumir uma forma visível em maiores ou menores reações musculares.

Toda ação ou reação em termos de esforço é uma busca de valores, sendo o principal deles a manutenção ou o empreendimento do equilíbrio necessário à sobrevivência do indivíduo. A manutenção deste equilíbrio exige um funcionamento harmônico de corpo e mente, segundo as capacidades de esforço ou o caráter da pessoa. O equilíbrio exige uma adaptação às situações, bem como um reconhecimento mais ou menos claro dos valores pelos quais o indivíduo luta habitual ou ocasionalmente. Nem sempre é fácil discriminar entre valores materiais e mentais. Acredita-se que a pessoa gentil do exemplo acima esteja lutando por valores mentais, enquanto que a estúpida estaria defendendo bens materiais. O conforto, o prazer sensual e até mesmo a felicidade são valores materiais, mas que poderiam constituir a base de valores mentais que, por sua vez, talvez exigissem a cessação dos atos que proporcionam prazer e felicidade, fossem tais atos envolver alguma iniqüidade moral.

O indivíduo violento que renuncia àquilo que os demais consideram como conforto e prazer, a fim de satisfazer seu desejo ardente por crueldade, não está apenas buscando valores materiais, pelo menos no sentido em que normalmente se emprega o termo "bem material". Na verdade, ele pode até perder sua vida na tentativa de saciar sua apaixonada crueldade. Poderá exibir uma coragem incomum e considerá-la um valor que exceda o da satisfação de sua sede de crueldade. Estas hesitações ao se estimar os valores mentais e materiais, no decorrer de uma situação, devem fazer do artista uma pessoa bastante cuidadosa quanto ao emprego de preceitos morais e éticos. O artista nada tem a julgar; cabe-lhe retratar e, do ponto de vista da representação teatral, deve se concentrar na expressividade de suas ações corporais. O ponto principal a ser apreendido é o seguinte: qualquer que seja o aspecto da luta pelos valores, ele pode ser expresso pela linguagem de movimento, independente de quão baixo ou quão alto seja o tal aspecto julgado de acordo com a escala de valores geralmente aceita. Não são apenas as simples ações corporais de ceder coisas aos outros ou de privá-los delas que o múltiplo inter-relacionamento de tipos de esforço pode exprimir, mas também os motivos subjacentes a tais comportamentos.

Através da observação de esforço, não apenas testemunhamos acontecimentos e motivações passados, como também damos uma olhadela no futuro, nas possíveis conseqüências de nossos atos. Podemos detectar certas incongruências fundamentais nas configurações de esforço que, se levadas avante, provocarão um desastre, o qual poderá ser evitado pelo desenvolvimento de tipos harmoniosos de esforço. Este equilíbrio pode ser obtido despertando-se, no indivíduo, um sentido do que seriam transições, ritmos e formas apropriadas, dentro das seqüências de movimento.

As formas e ritmos de nossos movimentos são poderes através dos quais podem ser realizadas as ações práticas; no entanto, contêm também fortes doses de energia geradora que dão lugar a reações de conseqüências, ou benéficas ou desastrosas. Por exemplo, a caridade pode se transformar em egoísmo, se o prazer de se doar na amizade, no amor ou no sacrifício exceder o prazer de tornar os outros felizes. Os impulsos internos que visem então ocultar o egoísmo denunciam-se nos movimentos de sombra. O calor do gesto pode ser contradito pelo frio fitar dos olhos ou pelos movimentos crispados dos músculos da face. Uma parte do corpo consente, enquanto a outra nega. Podemos respirar pesada ou excitadamente enquanto buscamos demonstrar uma calma exterior. Faz parte do drama a luta dos impulsos em nosso interior. Quase que todas as nossas decisões são o resultado de uma luta interior que pode tornar-se visível até mesmo numa postura corporal inteiramente imóvel. Uma posição corporal sempre é o resultado de movimentos prévios ou a antecipação de futuros movimentos, que tanto deixam sua marca impressa na postura do corpo, como anunciam a próxima.

Freqüentemente, a mímica transmite ao espectador qual o tipo de luta interior pela qual vai passando o personagem, através apenas de postura corporal ou posição, sem movimentos ou sons perceptíveis. Até mesmo no cotidiano é possível ver-se, na postura da pessoa, bem como em sua movimentação, o rumo assumido pelos seus sentimentos e pensamentos. A tarefa da mímica é nos arrastar — a nós e a audiência — para o mundo de seu drama, através de gestos e expressões corporais, para que possamos identificar-nos com os personagens e sofrer com o sofrimento, sentir ódio pelo que for indigno, ou rir perante a imagem de nossos eus refletida ali à frente. Se pudermos fazer isto, teremos sido apartados de nós mesmos e afastados do prazer egoísta, em função do qual tantas e tantas vezes ajudamos os outros, damos presentes ou executamos algum outro ato caridoso. Embora o artista extraia, para as suas criações, as situações, sentimentos e ações da vida real, não as retrata diretamente em sua mímica; configura-as de maneira significativa, a partir de sua própria visão e imaginação. Neste sentido, o ator pode se constituir num grande doador de seu próprio eu, tornando-se um mediador entre o eu solitário do espectador e o mundo dos valores.

A atividade mediadora do ator exige alto nível de veracidade. O ator, o mímico ou o bailarino competentes revelam de maneira extraordinária a possibilidade de expressar os valores da veracidade com todas as suas complicações, por meio das ações corporais. Trata-se de um erro grave tratar o teatro e a representação teatral como faz-de-conta, como situações onde se lidam com ações e ideais falsos. A mímica e o teatro introduzem o espectador nas realidades da vida interior e no mundo latente dos valores. As tentativas de compreender o mundo pelo naturalismo e pelo realismo materialista estão destinadas a fracassar. As realidades da vida interior só podem ser retratadas pela arte, onde se confundem razão e emoção, e não pelo intelecto ou pelo sentimento, em separado. A fim de proporcionar ao espectador a resposta certa às suas mais íntimas expectativas, o ator deve dominar a química dos esforços humanos, devendo igualmente aperceber-se do profundo relacionamento entre tal química e a luta pelos valores, que é do que consiste a vida. Embora o espectador possa não ter qualquer outro motivo para ir ao teatro além do desejo de se distrair, fica, não obstante, desapontado quando não pode vislumbrar as realidades do mundo dos valores e, efetivamente, este mundo só pode ser representado através da mobilidade tanto interna quanto externa.

Já colocamos anteriormente que a mudança de ceder para lutar envolve mais rapidez nas ações executadas, ou bem o conferir-lhes maior direitura ou força. Igualmente colocada foi a noção de que a mudança em sentido contrário, de lutante para a cedente, envolve o aumento de duração, da expansão e da leveza, o que resulta em ações cada vez mais sustentadas, flexíveis e suaves. Estas alterações podem ser experimentadas se imaginarmos ou concretizarmos cenas onde ocorram o embrutecimento ou a suavização. O lutar ou ceder, relativamente a um fator de movimento, conformam os aspectos básicos das atitudes psicológicas de ódio e amor. Sendo assim, é útil ao artista que ele perceba como é que estes dois pólos emotivos relacionam-se a outras formas de atitudes internas e como o seu relacionamento é refletido pelos movimentos dos diferentes personagens. A emoção do amor pode ser simbolizada pela imagem de uma deusa, cujo comportamento básico de movimento demonstra tolerância e aceitação quanto aos fatores Peso, Tempo e Espaço de movimento. As qualidades de seus movimentos, conseqüentemente, derivarão principalmente da ação básica de esforço de flutuar, exibindo uma predominância de elementos leves, sustentados e flexíveis. O ódio, ao contrário, face ao seu forte impacto sobre a realidade, poderia ser simbolizado pela imagem de um impetuoso demônio socador que luta contra os três fatores de movimento, Espaço, Tempo e Peso, em seus atos típicos de movimentos. Seus movimentos revelar-se-iam diretos, súbitos e firmes. Estes são personagens mitológicos, passíveis evidentemente de serem representados no palco. Não será muito difícil para um ator-bailarino imaginativo retratá-las. Mesmo em se tratando de um cínico moderno, o ator se recordaria do antiqüíssimo simbolismo dos suaves e flutuantes movimentos do amor, contrapostos aos violentos e abruptos atos de ódio.

A caracterização de um mero mortal será mais difícil, porque a imaginação credita aos deuses, deusas e diabos hábitos de esforço muito mais simples e diretos do que os dos mortais, considerados bem mais intrincados. Há determinados tipos de pessoas, que tanto podem ser amantes quanto "odiantes". O político carreirista e aproveitador por exemplo, às vezes se mostrará tanto como amante quanto como "odiante", dependendo do exigido por seus interesses pessoais. Mas, em sua movimentação, demonstrará normalmente uma mistura de esforços que deriva daqueles do demônio, ao defender a causa de um grupo oprimido e isto pode acontecer menos pelo sentimento de compaixão que possa nutrir em relação a tais pessoas, do que pelo desejo de derrotar seus odiados opositores políticos; ou mostrar-se uma pessoa mais caridosa, tipo "bom samaritano" que luta mais em socorro do oprimido do que para subjugar o opressor. Os movimentos do "bom samaritano" derivam de uma atitude interior inteiramente diferente da do político, qual seja, a de atenuar os efeitos das disputas e da discórdia. Neste sentido, a mistura dos esforços aproximar-se-á daquela da deusa.

O leitor apreenderá o parentesco do político com o demônio socador, bem como o do bom samaritano com a deusa flutuante. Por que é então que todos os políticos não se assemelham nem se comportam como um animal predador, e todas as pessoas caridosas não se portam como cordeiros? Simplesmente porque acontecem infinitos cruzamentos nos tipos de esforço que determinam a personalidade. Usando a terminologia do pensamento-movimento, pode-se fazer a tentativa de definir as características mistas de esforço de nosso político e de nosso samaritano, pelo menos em nível elementar.

Tendo-se como início uma ação na qual prevaleça a luta contra alguns fatores de movimento, pode-se dizer que uma *pressão*, um *talhar* ou um *pontuar* lutam contra dois dos fatores de movimento e cedem ao terceiro*. Têm, como créditos, dois pontos a favor do ódio e um a favor do amor. O pontuar meticuloso, a rígida pressão e o fugaz talhar também comportam um certo elemento de amor em si que os impede de se transformarem facilmente em monstros explosivos e odientos. O político, o bom samaritano e, na realidade, qualquer pessoa, podem ter qualquer uma destas várias misturas das qualidades de esforço. Aqui, nós abordaremos a figura do político, atribuindo-lhe as tais misturas e apresentaremos três variedades do tipo.

É possível observarmos, em algumas ações de esforço, condescendência a dois fatores de movimento e junto com uma atitude lutante com o terceiro. As pessoas presas a estas combinações de esforço são as *deslizantes, as que torcem, e as que sacodem*. São estas os cordeiros maculados nos quais, por exemplo, o amor ganha do ódio por 2 x 1, e onde a harmonia do caráter vê-se perturbada pela luta contra um dos fatores de movimento. Podemos imaginar um bom samaritano suavemente deslizante super-ansioso para prestar algum socorro, ou algum indivíduo torcendo desesperadamente as mãos sem saber o que fazer ao certo, ou ainda uma terceira pessoa caridosamente sacudindo a poeira de alguma vítima desafortunada, excitada e alvoroçada em redor do socorrido. Haverá sempre alguma coisa faltando nas atitudes deslizantes, torcentes ou sacudintes destas pessoas que as deixa num nível humano de falibilidade, de tal modo que jamais atinjam o ideal bastante estático de perfeição de uma deusa ou demônio.

Os exemplos acima de análise de esforço são propositalmente simplificações bem toscas mas podem mostrar-se úteis aos estudantes do tema, na medida

---
* Vide tabela à página 181.

em que lhes mostra como depurar os componentes de esforço de um caráter individual e como usar tal informação a serviço das caracterizações. Dentro de um modelo esquemático de apresentação, as características mencionadas podem ser registradas do seguinte modo:

QUEM	Luta contra			Condescende em aspectos de			Ação
	Peso	Espaço	Tempo	Peso	Espaço	Tempo	
Demônio	firme	direto	súbito	—	—	—	Soco
Deusa	—	—	—	leve	flexível	sustentado	Flutuar
Político A ..	firme	direto	—	—	—	sustentado	Pressão
Político B ...	firme	—	súbito	—	flexível	—	Talhar
Político C ...	—	direto	súbito	leve	—	—	Pontuar
Samaritano A ..	—	—	súbito	leve	flexível	—	Sacudir
Samaritano B ..	—	direto	—	leve	—	sustentado	Deslizar
Samaritano C ..	firme	—	—	—	flexível	sustentado	Torcer

Este esquema aproxima-se um pouco mais da vida real se se compreende que:

1) Pessoa nenhuma persiste sempre na mesma e única qualidade de esforço, mas está mudando continuamente.

2) Durante estas mudanças, alguns elementos de esforço são:

   a) mantidos intactos, enquanto

   b) outros recebem ênfase especial, alterando desta forma a qualidade de esforço, de modo mais ou menos visível, ao passo que terceiros são quase inteiramente perdidos.

Nas mudanças compreendidas pelo item (1), pode ocorrer qualquer seqüência, dependendo das circunstâncias. Podem-se imaginar muitas situações nas quais o Político A, por exemplo, muda sua disposição original de pressão numa de caráter mais leve, por exemplo, assumindo uma característica do Samaritano B. Todos podemos começar por qualquer uma das ações básicas de estado de ânimo, independente de ser-nos habitual ou não. Podemos, então, com maior ou menor mobilidade de esforço percorrer qualquer que seja a escala do estado de ânimo de nosso agrado, ou que sejamos compelidos a assumir, por força de circunstâncias externas. Cada conjunto de alterações deste tipo é uma frase de esforços que fala claramente uma linguagem que traduz ascensões e quedas, hesitações e precipitações; se forem freqüentemente repetidas, tais frases revelam características habituais.

A química de esforço segue algumas regras pois a transição de uma qualidade de esforço para outra ou é fácil ou difícil. Em circunstâncias normais, nenhuma pessoa mentalmente sadia saltará de uma qualidade para a que lhe é contrastante devido ao grande esforço nervoso e mental envolvido em mudança tão radical. Se o indivíduo muda repentinamente de uma disposição de pressão (Político A) para uma de sacudir (Samaritano A), isto indica forte tensão ou excitação interior. Situações deste porte evidentemente podem ocorrer, mas sempre sinalizam o perigo de alta tensão interna. Às vezes, a pessoa que age se volta para ações elementares incompletas, nas quais um ou dois elementos apenas encontram-se carregados com sua participação interior, enquanto o resto da manifestação dos esforços mantém-se mecânico e não recebe apoio de qualquer atitude interna por parte do sujeito. A pessoa que mostrasse uma forma indecisa na expressão de esforço poderia ser, por exemplo, uma *pressão-deslizar* e ser considerada um caráter razoavelmente indefinido. Uma tal qualidade num gesto poderia indicar qualquer coisa, mas, em essência, seria a renúncia de ação forte. O curioso, porém, é que encontram-se caráteres que, seja habitual, seja extraordinariamente, valem-se de esforços incompletos. Essas disposições de inatividade, que surgem ocasionalmente, indicam uma inclinação depressiva do estado de espírito que pode ser provocada tanto por eventos externos quanto por estados de espírito inibidores do surgimento da capacidade plena para agir. Se tais estados mostrarem-se constantes, o caráter estará fadado a uma desvitalizada inatividade.

Pode-se facilmente imaginar a enorme gama de combinações de esforço colocadas à disposição do artista. São inumeráveis as possibilidades de mudança e variação nas expressões de movimentos. Não simplifica o problema o fato de que essas inúmeras combinações de esforço possam aparecer em movimentos dos membros ou de todo o corpo. A idéia básica, contudo, é simples e suficiente. Se se observa a expressão de esforço de uma pessoa, notar-se-á que é sempre um movimento passível de uma descrição exata, portanto, um conteúdo de esforço bem-definido, que acontece de cada vez. É evidentemente uma coisa bem diferente escolher uma dentre as muitas possibilidades de movimento e conteúdo de esforço a fim de caracterizar a conduta de uma pessoa, numa situação específica de palco.

Ao observar as pessoas, o ator poderá identificar certos tipos de esforços habituais, tais como o *pontuardeslizar* ou o *talhar-torcer-flutuar,* que poderão fornecer sólida base para a elaboração do retrato de comportamento de movimento de uma pessoa imaginária. Mas como será o comportamento de uma pessoa numa dada situação? A composição de esforços de uma pessoa, observada numa ocasião particular, poderá oferecer um retrato suficiente para o reconhecimento de suas capacidades predominantes. Pode-se ter uma expectativa razoável de que certas combinações de qualidades de esforço poderão constituir-se em modalidades particulares de condutas em circunstâncias definidas. É provável que um indivíduo egocêntrico e cauteloso, em cujos tipos de esforço não se tenha observado um vigor especial, caso seja confrontado por um ataque violento e súbito, tenda mais a abandonar sua posição do que a defendê-la. O atacante poderá, neste momento, modificar sua disposição de *soco* para tranqüilizar a pessoa cautelosa.

O soco é relativamente rápido. Se se modifica (quer dizer, retarda) a velocidade do soco, este se transforma numa pressão. Quando a força do soco é diminuída, este torna-se um pontuar leve. Soco sempre se dá em linha reta; quando assume uma curva gradual, o trajeto deste movimento vai ser aos poucos levado para um talhar. Tudo isto pode se dar numa situação apropriada.

Todas as ações básicas, por meio de alterações em sua velocidade, em seu grau de força ou na curvatura de seu caminho, podem ser modificadas cada vez mais até tornarem-se finalmente numa das outras ações básicas. Esta mudança pode ser comparada ao gradual desaparecimento/transformação de uma cor na outra, no arco-íris. Assim como as muitas gamas de cor podem ser compreendidas como transições ou misturas das cores básicas do espectro, também a grande variedade de ações observada em nossos movimentos pode ser vista e explicada como transições ou misturas das ações básicas.

Investiguemos aqui a série de esforço que varia dentro do potencial natural do Demônio anteriormente mencionado, a quem atribuímos as características fundamentais de um "socador". A seguir, colocaremos em justaposição o potencial natural da Deusa, a quem caracterizamos como "flutuantes" e compararemos os dois. Assumimos, evidentemente, nesta investigação, que os caráteres são completamente harmoniosos em suas respectivas tipologias.

Poderá ser útil, contudo, fazer um apanhado, a princípio, dos vários fatores do movimento, bem como de suas implicações tal como a propusemos no final do capítulo 3. As colocações serão tabuladas, uma vez que não podem ser abordadas aqui as explicações obviamente necessárias e detalhadas referentes, principalmente, ao significado do movimento e às suas complexas ramificações na expressão humana.

Estudamos anteriormente, neste capítulo, as quatro fases do esforço mental precedentes das ações propositais: atenção, intenção, decisão e precisão. Tentaremos, em nossa tabulação, agregá-las a cada um dos fatores de movimento, considerando-as não apenas como ação precedendo uma ação, mas também como ação acompanhante.

O fator de movimento-Espaço pode ser associado à faculdade humana de participação com atenção. A tendência predominante aqui é a de orientar-se a si próprio e a de descobrir um relacionamento com um objeto de interesse, seja de modo direto e imediato, seja de modo cauteloso flexível.

O fator de movimento-Peso pode ser associado à faculdade humana de participação com intenção. O desejo de realizar certa coisa pode apoderar-se da pessoa às vezes de modo poderoso e firme e, em outras, leve e suavemente.

O fator de movimento-Tempo pode ser associado à faculdade humana de participação com decisão. As decisões podem ser tomadas ou inesperada e subitamente, deixando que uma coisa desapareça e seja substituída por outra, num dado momento, ou aos poucos, havendo, neste caso, a manutenção de algumas das condições prévias, por um certo período de tempo.

O fator de movimento-Fluência pode ser associado à faculdade humana de participação com precisão ou, dito de outro modo, de participar com progressão. Trata-se esta habilidade de harmonizar-se com o processo de realizar algo, ou seja, de relacionar-se à ação. O indivíduo pode controlar e bloquear o fluxo natural deste processo ou permitir-lhe um rumo livre e sem obstáculos.

Se nos referirmos, agora, a um caráter como sendo basicamente um "esmurrador", qual é a implicação disto segundo o ponto de vista do movimento? O que é que se situa na própria base de qualquer modificação desta ação básica de esforço, e de quais tipos de participação interna, atitude ou ímpeto derivam? Encorajamos aqui

Tabela VII

Verificação do tipo e significados dos fatores de movimento e suas combinações

A. Um fator de movimento

Fator de Movimento: Participação Interna: Relativo a: Afeta o Poder Humano de:	Espaço Atenção Onde "Pensamento"	Peso Intenção O quê "Sensação"	Tempo Decisão Quando "Intuição"	Fluência Progressão Como "Sentimento"

B. Dois fatores de movimento

Fatores de movimento:	Espaço Tempo	Peso Fluência	Espaço Fluência	Peso Tempo	Espaço Peso	Tempo Fluência
Atitudes Internas:	acordado	onírico	remoto	perto	estável	móvel

C. Três fatores de movimento

Fatores de Movimento:	Espaço, Tempo Peso	Fluência, Tempo Peso	Espaço, Fluência Peso	Espaço, Tempo, Fluência
Ímpetos para o Movimento:	Ação (Fluência latente)	Paixão (Espaço latente)	Encanto (Tempo latente)	Visão (Peso latente)

o leitor a pesquisar as intrincadas implicações do funcionamento psicológico, com base nas considerações sobre movimento apresentadas às Tabelas VIII e IX.

Uma análise comparativa dos potenciais naturais da "Deusa", a quem atribuímos a ação básica de esforço "Flutuar", evidenciará que em todos os aspectos ela representa o oposto do "Demônio" (Vide Tabelas VIII e IX). No entanto, as modificações que cada uma delas deverá ser capaz de suportar mostrarão que tipos de adaptação dos movimentos podem estabelecer pontos de encontro com seu oponente.

O estudo cuidadoso destas tabelas proporcionará eventualmente ao leitor uma orientação de como desenvolver seqüências de movimentos, não apenas na produção de um dado personagem numa peça teatral, como também na criação de expressões poéticas das várias disposições internas, pela dança.

É evidente que os personagens e as disposições internas nem sempre se desenvolvem segundo padrões harmoniosos. É bastante mais freqüente do que se pensa, principalmente quando a situação é dramática, que emerjam paralelamente as qualidades sem relação entre si, o que provoca distúrbios e tensão. Por isso, é importante aprender a dominar não apenas modificações graduais de uma ação básica como também praticar modificações contrastantes umas de outras, sem transições fáceis ou fatores equilibrantes. Lembremo-nos, a este propósito, que as mudanças de esforço nem sempre são provocadas pelas situações. O contrário também é verdade. Conforme já indicamos anteriormente, muitas vezes criam-se as novas situações por intermédio de alterações nos esforços de indivíduos e multidões.

A cadeia de acontecimentos que, na realidade, compõe o conteúdo mesmo da ação dramática e, portanto, da mímica, também tem suas origens na química do esforço humano. O solo nutritivo onde se alimenta a árvore da mímica é o mundo dos valores.

Tabela VIII

O DEMÔNIO

Ações básicas de esforço e suas 3 modificações	Pertencendo ao ímpeto interno de:	Contendo variações de atitudes internas	Participação interna característica com			
			Atenção	Intenção	Decisão	Progressão
A *(ação básica de esforço)* Espaço: direto Peso: firme Tempo: súbito Soco	Ação	estável Perto acordado	direto direto	firme firme	súbito súbito	
1.ª modificação O elemento Espaço é mudado, isto é, a Direção é difusa através da influência da sensação "flexível" Talhar		estável Perto como em A acordado	flexível flexível	firme firme	súbito súbito	
2.ª modificação O elemento Peso é mudado, isto é, a Resistência é enfraquecida através da influência da sensação "leve"		estável Perto acordado	direto direto	leve leve	súbito súbito	

	como em A					
O elemento Tempo é mudado, isto é, a velocidade é diminuída através da influência da sensação de "longe"	Perto acordado	direto	firme		sustentado sustentado	
Pressão						
B 3 transformações das Ações Básicas de Esforço e suas modificações	Pertencendo ao ímpeto int. no de	Contendo variações de atitudes internas	Participação interna característica com			
	Paixão {Aqui a Fluência substitui o Espaço que permanece latente}	(i) onírico (ii) móvel	Atenção	Intenção	Decisão	Progressão
Transformação I		onírico		firme	súbito	controlado ou livre
Modificação (a) o elemento de Peso é mudado		móvel		leve		controlado ou livre
Modificação (b) o elemento de Tempo é mudado					sustentado	controlado ou livre

Segue na pág. 190

Seqüência da tabela VIII

Transformação II	Visão	(i) remoto	direto		súbito	controlado ou livre
		(ii) móvel como em I (ii)				controlado ou livre
Modificação (a) o elemento Tempo é mudado	Aqui a Fluência substituiu o Peso que permanece latente	móvel como em I (b)			sustentado	controlado ou livre
Modificação (b) o elemento Espaço é mudado		remoto	flexível			controlado ou livre
Transformação III	Encanto	(i) remoto como em II (I)	direto	firme		controlado ou livre
		(ii) onírico como em I (I)				controlado ou livre
Modificação (a) o elemento de Espaço é mudado	a Fluência stituiu o Tempo que nanece latente	remoto como em II (b)	flexível			controlado ou livre
Modificação (b) o elemento de Peso é mudado		onírico		leve		controlado ou

Ações Básicas de Esforço e suas modificações	Pertencendo ao ímpeto interno de:	Contendo variações de atitudes internas	Participação interna característica com				
			Atenção	Intenção	Decisão	Progressão
A (*ação básica de esforço*) Espaço: flexível Peso: leve Tempo: sustentado Flutuar	Ação	estável Perto acordado	flexível flexível	leve leve leve	 sustentado sustentado	
1.ª modificação a Direção é aumentada Deslizar		estável Perto como em A acordado como em A	direto direto	leve leve	 sustentado sustentado	
2.ª modificação A resistência é aumentada Torcer		estável Perto acordado como em A	flexível flexível	firme firme	 sustentado sustentado	

Seqüência da tabela IX

3.ª *modificação*						
A velocidade é aumentada ⌐ Sacudir	⌐ estável como em A ⌐ Perto ⌐ acordado		flexível flexível	leve leve	súbito súbito	
B *3 transformações das Ações Básicas de Esforço e suas modificações*	*Pertencendo ao impulso interno de:*	*Contendo variações de atitudes internas*	*Participação interna característica com*			
			Atenção	*Intenção*	*Decisão*	*Progressão*
	Paixão ┼ { ui a Fluência bstituiu o Espaço que rmanece latente }	(i) ⊥ onírico (ii) ≟ móvel		leve	sustentado	controlado ou livre controlado ou livre
Transformação I ⊥		┼ onírico		firme		controlado ou livre
Modificação **(a)** o elemento **Peso** foi mudado ⊥						
Modificação **(b)** o elemento **Tempo** ┼		...				controlado ou

		(ii) móvel como em I (ii)			sustentado	livre controlado ou livre
	Aqui a Fluência substituiu o Peso que permanece latente	móvel como em I (b)			súbito	controlado ou livre
Modificação (a) o elemento Tempo é mudado		remoto	direto			controlado ou livre
Modificação (b) o elemento Espaço é mudado						
Transformação III	Encanto Aqui a Fluência substituiu o Tempo que permanece latente	(i) remoto como em II (i) (ii) onírico como em I (i)	flexível	leve		controlado ou livre controlado ou livre
Modificação (a) o elemento Espaço é mudado		remoto como em II (b)	direto			controlado ou livre
Modificação (b) o elemento Peso é mudado		onírico como em I (a)		firme		controlado ou livre

193

CAPÍTULO 6

O ESTUDO DA EXPRESSÃO DO MOVIMENTO

O MELHOR meio de adquirir e desenvolver a capacidade de usar o movimento como meio de expressão no palco é executar cenas com movimentos simples. Em primeiro lugar, o estudante do tema deve tomar total conhecimento do caráter das pessoas a serem representadas, do tipo de valores pelos quais lutam e das circunstâncias nas quais esta luta ocorre. A seguir, como parte de sua função criativa enquanto ator, deve ele selecionar os movimentos apropriados ao personagem, aos valores e à situação em particular. Esta seleção envolve intenso trabalho. A improvisação da cena representada, conquanto brilhante, não basta e nem é suficiente para memorizar uma combinação de movimentos aparentemente eficaz. O que é necessário é que o estudante ponha-se, por assim dizer, na pele do personagem a ser retratado, penetre no âmago das várias possibilidades de executar a cena e analise tudo o que diz respeito aos movimentos. Poderá descobrir que algumas seqüências de movimentos serão de mais fácil execução que outras. Se forem escolhidos movimentos que pareçam ser difíceis, dever-se-á procurar descobrir a causa da dificuldade, antes de tentar dominá-los.

Há duas causas fundamentais que obstruem um fácil domínio do movimento: inibições de ordem física e de ordem mental. Foram feitas algumas sugestões, nos capítulos 2 e 3, quanto ao melhor meio de compensar uma inabilidade física geral para se movimentar. A inibição física quanto a um movimento definido será melhor afastada por um número suficiente de repetições das ações corporais difíceis de serem realizadas.

Deve-se tomar muito cuidado para observar as qualidades de esforço contidas na ação para que sejam clara e exatamente executadas, dentro dos ritmos adequados. A execução de seqüências de esforço demanda uma concentração e uma atitude interiores correlacionadas. As causas do fracasso na realização de certas combinações, portanto, são de natureza mental tanto quanto física.

Quando organizados em seqüências, os elementos do movimento compõem um ritmo. Podem-se discernir *ritmos-espaço, ritmos-tempo* e *ritmos-peso*. Na realidade, estas três formas de ritmo sempre estão associadas, apesar de uma delas poder ocupar lugar de destaque em uma dada ação.

O *ritmo-espaço* se origina do uso de direções relacionadas entre si, o que tem por resultado formas e configurações espaciais. Há dois aspectos relevantes neste processo:

a) num deles há o desenrolar sucessivo de direções cambiantes, e

b) no outro, as formas são produzidas através de ações simultâneas de alguns segmentos corporais.

Em termos de comparação com a música, o primeiro aspecto seria o equivalente à melodia e o segundo, à harmonia. Cada um deles exige um fluir diferente de participação de esforço, pois certas seqüências de esforço vão dar em posições, enquanto que outras desenvolvem linhas de movimentos com ângulos e curvas sempre em mutação.

O homem aprende, em seu trabalho diário, a apreciar o fato de que pode manipular alguns objetos melhor em certa posição do que em outras. Conseqüentemente, mobilizará seu corpo até que o objeto atinja a melhor posição para seu esforço. Sua experiência lhe permite mapear minuciosamente o espaço que circunda seu corpo*. Com o auxílio deste mapa imaginário, ele vai

---
* Vide *Modern Educational Dance* de R. Laban. Macdonald & Evans.

traçando seu caminho através de todas as combinações de esforço necessárias ao seu trabalho e a seu comportamento geral e, no final do processo, encontrar-se-á tão à vontade neste seu reino de esforço como se se tratasse de sua cidade natal, onde cada rua lhe é conhecida, onde reconhece possivelmente cada uma das casas e boa parte dos habitantes. O estudo da expressão de movimento envolve o domínio e a compreensão dos ritmos-espaço, dos quais se apresenta um rápido apanhado no capítulo 2. Este resumo não é, de modo algum, completo, mas servirá para estimular qualquer pessoa que tente pensar em termos de movimento a fim de inventar variações que, cada vez mais, abarquem as quase infinitas combinações possíveis de ritmos espaciais. Há aí, evidentemente, uma lógica que lhes é inerente, mas transcende os objetivos deste volume, discuti-la.

Além do ritmo-espaço do movimento, temos que considerar seu *ritmo no tempo*. A atitude do homem frente ao tempo é caracterizada, de um lado, pela luta contra ele nos movimentos rápidos e súbitos e, de outro, por uma condescendência em relação a ele, através de movimentos lentos e sustentados. Os ritmos produzidos pelos movimentos corporais são marcados por uma divisão de fluxo contínuo do movimento em partes, cada uma das quais tem uma duração de tempo definida. As partes de um ritmo podem ter comprimentos iguais ou desiguais. Neste último caso, algumas partes são relativamente rápidas e outras relativamente lentas.

A significação dos ritmos-tempo de movimento pode ser observada em dançarinos individuais que demonstram evidente preferência por alguns ritmos em especial. Enquanto que um bailarino sentir-se-á mais tentado a interpretar músicas nas quais prevaleça uma métrica nas batidas regulares, um outro poderá sentir-se repelido exatamente pela métrica, preferindo o desenrolar irregular e livre do ritmo-tempo. A precisão do dançarino métrico está em forte contraste com a expressividade do ator-dançarino-mímico que dê preferência ao ritmo livre. Há, porém, muitas modalidades intermediárias aos dois extremos contrastantes dos ritmos regulares e irregulares. Até certo ponto, é verdade que as pernas e pés do bailarino prefiram a função métrica; mas os pés, braços e mãos deveriam ser igualmente capazes de expressar as qualidades de um ritmo temporal livre. Na verdade, o corpo como um todo deveria ter condições de exprimir as vibrações e as ondas regulares e irregulares do movimento. Conquanto seja útil ao ator em sua apreensão do ritmo, o entendimento e a apreciação da música, expressão abstrata do movimento, não são em si suficientes. Mesmo o bailarino que interpreta a música tem que traduzi-la em seqüências de esforço, a partir das quais surgem os seus passos e gestos expressivos. Na dança, o ritmo de movimento é basicamente expresso por meio de passos, o que é particularmente verdadeiro do balé clássico, que se vale de vários passos básicos e de combinações características destes mesmos passos.

Gastou-se enorme erudição na construção e reconstrução, a partir de pinturas antigas e documentos, das formas e dos ritmos exatos dos movimentos de dança e dos passos das épocas passadas. Os ritmos mais antigos de que temos conhecimento são os da Grécia antiga, os quais relacionavam-se essencialmente aos trabalhos dramáticos e poéticos. Segundo uma perspectiva puramente histórica, é muito interessante perceber que a notação e a interpretação dos ritmos de esforço já foi tentada há milhares de anos atrás. Os gregos atribuíram um significado definido aos ritmos, expresso principalmente por uma disposição emocional. A combinação de uma unidade de tempo curta com uma longa parecia-lhes conferir uma tonalidade de energia masculina à ação, ao passo que o oposto, uma longa seguida de uma curta, era considerado como a expressão da feminilidade. Uma longa e duas curtas eram consideradas graves e sérias, enquanto que duas curtas e uma longa expressavam o andamento moderato da marcha simples. A excitação evocadora de estados de espírito aterrorizantes era expressa por meio de uma longa, uma curta, seguindo-se uma unidade longa de tempo; duas longas e duas curtas sugeriam uma violenta agitação ou, ao contrário, profunda depressão. A embriaguez, a languidez e o desespero eram indicados por um ritmo consistindo de duas curtas e duas longas. Foram descobertos seis ritmos fundamentais ao se associarem as durações breve e longa, com o *ritmo-peso*, nas partes acentuadas e não acentuadas de uma seqüência de movimentos. O quadro seguinte mostra esses seis ritmos fundamentais, apontando a significação especial de cada um deles:

Consistindo de:

Três unidades de tempo
1. ♩♩ O Troqueu é um ritmo calmo, plácido, gracioso.
2. ♩♩ O Iambo é ritmo mais agressivo e foi freqüentemente empregado como o contraste masculino do troqueu, apesar de empregado no modo lídio, feminino. É alegre e energético, sem ser rude ou beligerante.

Quatro unidades
3. ♩♩♩ O Dáctilo é um ritmo grave e sério, usado mais em procissões ou ocasiões solenes.
4. ♩♩♩ O Anapesto é um ritmo de marcha que indica avanço, ocorrendo em danças de disposição moderada.

Cinco unidades
{ 5. ♩♩♩ O Peão é expressão de excitação e insensatez, devocando alternadamente estados de espírito aterrorizantes e lastimáveis. Aparece em danças de guerra.

Seis unidades
{ 6. ♩♩♩♩ O Jônio expressa violenta agitação ou, ao contrário, depressão profunda. A embriaguez dos festivais dionisíacos, seu langor e desespero eram manifestos desta maneira.
ou
♩♩♩♩

Os gregos consideravam que todos os demais ritmos eram variantes destes seis fundamentais. Estes ritmos, denominados de medidas, eram organizados em versos, estrofes e poemas. Consideravam eles que o ritmo é o princípio ativo de vitalidade. Em relação à música, investiam o ritmo de um princípio masculino e a melodia de um feminino. As combinações destes ritmos detinham associações especiais na mentalidade grega como, por exemplo,

| ♩♩♩♩ |

que é uma composição do troqueu seguida de um iambo, significando uma mistura de disposições internas, tal como os dois ritmos representam. Os gregos conheciam muitas variedades de disposições internas: austera, beligerante, festiva, voluptuosa, terna, apaixonada, entusiasmada e sobrenatural. Estas disposições eram expressas por combinações dos ritmos fundamentais como mostramos a seguir:

a) movimentos rudes, beligerantes e austeros, de caráter masculino. Ânimo Dórico, usando dáctilo, anapesto e peão.

b) atitudes ternas, fluentes, voluptuosas de caráter feminino. Ânimo Lídio, usando o troqueu, o iambo e o anapesto.

c) atitudes entusiásticas, realçadas pela religião e apaixonadas, de caráter sobrenatural. O Ânimo Frígio, usando o jônico e o peão.

O que nos interessa de perto nisto tudo é que tais ânimos associavam-se, na mente grega, a um fluir definido dos elementos tempo-peso de esforço. As ações dos operários industriais contemporâneos são muitas vezes restringidas a um ou outro dos ritmos fundamentais, já determinados pelos nossos antepassados gregos. Não expressam eles apenas estados de ânimo, como também criam hábitos de estado de ânimo, se forem repetidos com alguma freqüência. Ao se observar os trabalhadores saírem da fábrica, ao cair da tarde, pode-se reconhecer os ritmos que vieram executando ao longo do dia, no fluir de seus movimentos de sombra, cansados ou excitados. O estudo contemporâneo de movimento e o treinamento de esforço têm uma grande oportunidade de aliviar as dificuldades e o tédio do trabalho, decorrentes da não compreensão da capacidade rítmica.

Aquele que estuda os movimentos poderá sentir que um certo tipo de ritmo lhe é de maior dificuldade para execução do que outro. Poderá descobrir também que prefere um ritmo em particular, ou ainda, que tem hábitos rítmicos. A deficiência rítmica de qualquer tipo pode ser corrigida pelo treino, acostumando-se pela repetição do exercício a produzir aquelas modalidades rítmicas que, a princípio, foram tachadas de difíceis. No entanto, não é apenas o ritmo dos movimentos que interessa ao ator-bailarino. Existe, numa cena dramática, um ritmo bem maior de valores e de situações.

Apresentamos, nas seguintes cinco cenas para estudo, alguns exemplos simples de caráteres, valores e situações. O estudante de movimentos deverá tentar analisar e executar estas cenas até sentir-se satisfeito com o resultado. Deve também perceber que não há formas certas ou erradas de interpretá-las. É uma questão de temperamento e de gosto artístico descobrir a interpretação preferida. À semelhança do pintor, sujeito ao agrado ou desagrado do crítico que vê sua pintura, o ator também tem que arriscar-se a ver a aceitação ou não aceitação da interpretação de uma cena que venha a fazer. O controle de um produtor habilidoso pode funcionar como um guia para o desenvolvimento do gosto do aluno, mas não pode ser um substituto para o senso pessoal de discriminação.

Imagine e execute as seguintes cenas:

CENA DE CARÁTER EMOCIONAL

Foi-lhe pedido que represente uma cena de caráter emocional tal como: apaixonar-se; discutir; observar uma situação engraçada; defrontar-se com alguma dor, como o sofrimento ou a solidão; expressar entusiasmo; embriagar-se; sentir-se sonolento; ou realizar qualquer outra coisa que lhe pareça difícil de executar. Muito bem: vá em frente e execute estas cenas uma após a outra, repetindo-as até sentir que seus movimentos afloram com facilidade; acautele-se, porém, para não optar por movimentos muito fáceis para demonstrar tais emoções. Analise as seqüências de esforço usadas por você em cada uma das cenas. Sua raiva, sua dor, sua alegria, seu entusiasmo e seu abandono sensual podem ser expressos em ritmos acentuadamente diferentes. Tente descobrir como é que caráteres diferentes exibiriam estas emoções e como é que o movimento rítmico modificar-se-ia, nos vários caráteres.

CENAS EM AMBIENTES INUSITADOS

A tarefa agora é imaginar para você situações em ambientes inusitados, tais como: na prisão; ficar perdido numa floresta escura; ser um homem comum das ruas num palácio; ou um homem rico relegado à cabana de um mendigo; ou uma pessoa prudente numa boate de caráter duvidoso, e outras situações que você mesmo invente. Proceda exatamente como nas cenas emocionais apresentadas acima: execute; pratique; analise e, relacione-as a caráteres definidos.

Observação: Os caráteres podem ser emocionais; podem ser tipos ocupacionais de diferentes classes sociais; pessoas de diversos grupos etários, sem excluir as criancinhas pequenas; pessoas física ou mentalmente doentes e pessoas em várias fases temporárias de condutas extravagantes.

CENAS CONTENDO AÇÕES PRÁTICAS

Você agora está convidado a representar (sem instrumentos de apoio) cenas que denotem alguma atividade, tais como o trabalho de cuidar da casa, de jardinar, de roubar como se fosse um "trombadinha" ou um cleptomaníaco, de realizar operações cirúrgicas, de ser enfermeiro, balconista, operador de cinema, caçador ou guerreiro.* Novamente, o procedimento é o mesmo: represente a cena; repita-a várias vezes, analise-a e, por último, relacione-a a caráteres definidos. Você descobrirá que, até certo ponto, estas quatro fases do procedimento sobrepõem-se. Enquanto representa a cena, você poderá analisá-la e atribuir movimentos a um personagem; poderá ainda tentar repetir partes da cena representada. Não é errado agir deste modo mas, depois disso, o estudante deverá concentrar-se numa análise mais detalhada e profunda. Neste instante, deverá estudar mais minuciosamente a adequabilidade de seus movimentos do ponto de vista dos personagens. Tente pôr em prática algumas das cenas acima de maneira trágica, cômica ou burlesca.

DIÁLOGOS-MÍMICOS

Uma boa maneira de controlar e aprimorar seu desempenho é supor que há um produtor a observá-lo.

---

* Faça com que todos os seus movimentos sejam claramente discerníveis para o espectador.

Imagine-se no lugar de um produtor crítico e tente verificar sua interpretação pelos olhos críticos dele. Volte, a seguir, para o seu lugar e faça em mímica outra vez, a versão corrigida, na íntegra, tal como você pensa que a cena deveria ser. É igualmente possível apresentar um diálogo-mímico colocando-se primeiramente no lugar de uma pessoa que esteja atuando com você e, depois, no de alguma outra. Manipule estes diálogos exatamente da mesma maneira que com as demais cenas: repita-os, analise-os e altere seu próprio caráter de maneira adequada. Invente cenas breves de diálogos e mímica, nas quais os diferentes personagens se deparam com diversas situações.

CENAS RELATIVAS A MOVIMENTOS E COSTUMES

É comum hoje em dia ensinar-se ao ator-bailarino certas formas de posturas corporais ou passos de dança que se supõe terem sido adequados aos padrões e movimentos de um determinado período histórico. Algumas destas formas, principalmente aquelas dos últimos séculos da história européia, têm sido transmitidas de geração em geração. O reduzido montante de informações dignas de confiança, relativas à forma dos movimentos originais, deriva principalmente de pinturas representando cenas da vida contemporânea a cada época, bem como cenas dos costumes do período. Algumas danças de épocas anteriores foram transcritas para o papel segundo formas antigas de notação do movimento. Os trajes do período em questão são o guia para se chegar à conclusão de como efetivamente se configuravam os movimentos da dança; mas o aspecto essencial da expressão pelo movimento, os ritmos dos esforços, podem ser apenas supostos. Apesar disto, seria aconselhável que o estudante de movimentos se familiarizasse com ilustrações dos trajes de diferentes períodos históricos. Através deste estudo, ele se capacitaria a imaginar o vestuário e demais adereços que fossem pertinentes, adaptando-lhes os seus movimentos.

Um exercício bastante útil é entrar numa sala e andar segundo a moda característica de um dado período. Pode-se expressar pelo movimento tanto o prazer quanto o desprazer com a tal moda. O estudante que estiver tentando usar o traje adequado deverá dar-se conta dos vários estilos: selvagem, antigo, medieval, vitoriano, contemporâneo, usados tanto por camponeses como por pessoas da cidade, por gente rica e pobre, em dias festivos e normais.

OUTRAS FONTES DE ESTILIZAÇÃO DO MOVIMENTO

O que parece é que, durante várias centenas de anos, vieram se opondo duas modalidades gerais de movimentação passíveis de fácil reconhecimento: a da classe alta e a da classe baixa, havendo talvez um estilo intermediário a estes dois. Atualmente, podemos visualizar tal tipo de divisão, no cinema. As estrelas e astros de cinema em moda apresentam uma movimentação convencionada que diverge amplamente do movimento da conduta média do homem comum das ruas. Não sabemos se isto também era assim com relação às artes teatrais de épocas mais remotas, mas, é provável que aquilo que se denomina estilo de um período, basicamente, seja a moda ditada pela minoria favorecida de uma comunidade, de uma era histórica específica, enquanto que o comportamento natural da maioria pouco se modificou ao longo e ao largo de toda a história da humanidade. Este comportamento natural é determinado, em todos os tempos, por uma rica mistura das ações de esforço fundamentais; formam elas a substância dos movimentos humanos, independente de serem eles funcionais e estarem a serviço do trabalho ou de serem expressivos e manifestarem estados de espírito e estados emocionais. Seria uma tarefa interessante o estudo do comportamento de homens e mulheres nas danças de época, bem como na observância dos ritos religiosos, ou ainda em reuniões sociais. Dever-se-ia tentar descobrir, a partir do uso imaginado da roupa de um dado período, as formas de movimento usadas nessa época, em todas as reuniões da comunidade, incluindo evidentemente as reuniões dançantes.

Tornam-se assim necessários alguns comentários sobre o significado da postura corporal, na medida em que ao alterarem-se as atitudes externas podemos detectar características fundamentais. Um corpo esticado para cima oferece uma impressão diferente de um curvado para baixo. O estado de ânimo da pessoa que se move nestas duas direções contrastantes, independe de se esticar ou curvar, pode ser a mesma. Dentro de um ânimo bem humorado, acompanhado de riso, o corpo todo, incluindo os dois braços, pode esticar-se alto para o ar; ou a pessoa hilariante pode curvar-se e agachar-se, agarrando o abdome com ambas as mãos. O estado de ânimo de zanga também pode ser expresso por uma postura corporal ou alta ou baixa e, no entanto, as duas atitudes podem ter um significado diferente. Estes contrastes típicos da postura corporal podem acontecer de dois modos: tanto como expressão de um estado de ânimo passageiro, quanto como um padrão habitual de um dado caráter que usa preferencialmente uma ou outra das posturas, a curvada para baixo ou a esticada para cima.

É comum, na arte da dança, desenvolver-se a consciência e a sensação para a postura corporal típica. Do mesmo modo que se distingue se o tom de voz de um cantor é baixo, barítono ou tenor, ou alto, meio-soprano, ou soprano, pode-se também detectar no bailarino uma tendência natural para movimentos de erguer-se ou de abaixar-se. Estas são diferenças que não se explicam apenas segundo princípios fisiológicos ou psicológicos. É um mistério da constituição individual de uma pessoa o fato de ela, na voz ou na gesticulação, tender para "movimentador baixo", para o "movimentador médio" ou para "movimentador alto". O balé clássico, herdeiro das cerimônias de corte dos últimos três séculos, é uma forma artística na qual prevalece o movimento de dança-alta; é surpreendente, porém, quantos bailarinos não têm realmente esta capacidade para dança-alta e como esta incapacidade faz de suas evoluções movimentos artificialmente estreitos e até ridículos. Se os dançarinos que tendem naturalmente para dança-baixa dançassem apenas em estilos de dança-baixa, como se vê em certas danças folclóricas e primitivas, ficariam muito mais à vontade, pois estariam expressando aquilo que a natureza os predestinou a exprimir. O critério de um dançarino alto, ou mesmo de qualquer outro dançarino mostrando um característico uso do espaço, pode ser bastante bem reconhecido e descrito. O dançarino alto tem a tendência natural para elevação e ascenção. Mostrará preferência pelos movimentos que enfatizem a característica ereta da postura corporal e, dado que atua contra a gravidade, sempre mostrará um certo grau de tensão. Ele estará apto a transmitir uma impressão de total leveza não apenas em seus saltos como também quando seus gestos se dirigirem para baixo, levando a posições perto do chão. O tipo contrastante é o bailarino baixo que prefere dar ênfase a atividades do centro de gravidade. O dançarino deste tipo inclinar-se-á a sapatear e a agachar-se, em cujo caso os socos, em direção do solo, serão ritmicamente pronunciados, sendo a postura corporal preferivelmente curvada. Evidentemente, no drama, o movimentador alto estará melhor representando heróis, padres ou seres de alguma elevação espiritual, ao passo que o movimentador baixo estará mais adaptado a papéis de caracteres mais terra-a-terra. O que tende para o alto em suas ações terá a premente necessidade interna de assumir formas de grande claridade e precisão, enquanto que o dançarino baixo demonstrará forte simpatia pela expressão rítmica na qual seja secundário o elemento formal.

Deve-se notar que a tendência típica do bailarino para um desses movimentos antagônicos de expressividade não depende apenas da esbeltez ou altura do corpo. Embora seja verdade que indivíduos altos e magros inclinar-se-ão geralmente mais para o uso de dança-alta e que as pessoas atarracadas, de constituição pequena tenderão para o estilo de dança-baixa, não se pode dizer que esta predileção sempre corresponda ao seu talento natural. Pessoas esbeltas poderão sair-se melhor em danças-baixas, enquanto que outros atarracados se darão melhor nas altas. Qualidades emocionais e mentais desempenham um papel tão importante na determinação das tendências para cima e para baixo quanto o da estrutura corporal. Pode ser determinado empiricamente para que tipos mais marcantes de movimentos o ator ou bailarino é particularmente bem-dotado. Os hábitos de esforço adquiridos ou herdados também poderão exercer grande influência sobre as disposições individuais deste teor.

A preferência por alto ou baixo, porém, não é tudo o que pode ser observado num dançarino. Algumas habilidades técnicas, tais como a de girar com agilidade ou dar piruetas, caracterizam um tipo que raramente seria marcante no que diz respeito às suas tendências para dança-alta ou baixa. Esta habilidade para girar ou fazer piruetas também não depende da estrutura corporal mas, sim, de fatores constitucionais internos, difíceis de serem resumidos. A facilidade em giros exige uma combinação de rapidez e equilíbrio, de clareza formal e abandono, podendo ser empiricamente reconhecida, apesar de suas origens não terem condições de serem exaustivamente explicitadas. Os giros sempre acontecem em planos de espaço mais ou menos horizontais, não sendo realmente altos-baixos. Os giros podem ser efetuados tanto numa direção para dentro quanto numa para fora, acompanhando gestos que se fecham em direção do corpo ou que se abrem para fora dele. Há muitas pessoas que não exibem características pronunciadas, de um movimentador alto ou baixo. Tais pessoas, em geral, gostam de dar giros. Raramente apresentam a ondulação de um movimentador alto nem tampouco o sólido terra-a-terra do movimentador baixo. Eles se sobressaem em movimentos livremente fluentes, dançantes, que parecem surgir como ôndas, do centro do corpo para o espaço, retrocedendo depois até à imobilidade.

As direções do movimento (para frente e para trás) podem ser significativas de muitos modos. A postura ereta de dançarino alto tem freqüentemente uma expressão de dignidade, acentuada por um leve reclinar da cabeça e pelo empinar do nariz; pode, porém, adotar uma expressão arrogante. A postura dobrada para frente, do dançarino-baixo poderia tornar-se agressiva ou servil. As direções dos movimentos para um ou outro dos lados do corpo acentuam sua simetria direito-esquerda. Um movimento fechando para o lado pode ser empregado para indicar medo ou timidez, enquanto que o movimento abrindo para os lados poderá denotar orgulho ou autoconfiança. As combinações destas diferenças espaciais extremas, executadas por diversas partes do corpo, permitem a elaboração de uma rica escala de expressão pelo movimento.

Além disto, há a expressividade do caminho do movimento. O caminho do movimento, seja no chão, como o desenho de chão dos passos, seja no ar, como o rastro realizado pelo gesto do braço ou da perna, pode tanto ser direto quanto curvo. Pode também ser simétrico ou assimétrico. As posições e caminhos simétricos de movimentação são mais fáceis de entender e examinar que o quase que incalculável número de posições e trajetos assimétricos. A simetria de movimento é menos apaixonada do que assimetria; a primeira, oculta a excitação pessoal, a última revela-a. A natureza controlada e formal das posições e caminhos simétricos de movimento faz com que pensemos na solene beleza arquitetural de um templo grego. Os movimentos que expressam dignidade cerimonial ou religiosa serão preferencialmente executados de forma simétrica. A descarga emocional de atitudes internas desequilibradas, provocada pela paixão e pela exuberância, será mais apropriadamente expressa, porém, através de movimentos assimétricos. Estes têm a tendência de se degenerar num exagero desequilibrado ou num jogo caótico de movimentos fantasiosos e, conseqüentemente, são de controle e domínio menos fáceis de adquirir; já os movimentos simétricos oferecem um fundamento comparativamente mais estável para todas as atitudes expressivas. Há, contudo, esquemas de organização dentro da própria assimetria da movimentação humana. Estes esquemas foram elaborados e aperfeiçoados por mestres da dança em várias épocas, todos com o intuito de dominar a assimetria da expressão pelos movimentos. Um de tais esquemas, é a subdivisão do espaço em direções básicas e derivadas*. Poder-se-ia até mesmo dizer que os vários métodos de treinamento do movimento elaborados ao longo dos séculos têm o objetivo fundamental de atingir o domínio do desequilíbrio do corpo nos movimentos assimétricos.

É importante compreender que os padrões desenhados no chão pelos passos e no ar pelos gestos representam aspectos de forma que são fundamentalmente diferentes entre si, apesar de sua similaridade. Enquanto que os desenhos de chão restringem-se a combinações de linhas curvas e diretas, produzindo desenhos que consistem das formas angular, redonda e em forma de oito, os efetuados no ar se tratam de contornos dos corpos no espaço, os quais são criados pelos trajetos que as várias articulações do nosso corpo desenham simultaneamente no ar. Poderão configurar-se de modo espiral ou torcido, entrelaçadas como nós ou de maneira direta, e movendo-se pelo espaço como um projétil. Quaisquer que sejam suas formas, estas são tão cheias de significado, como o são os desenhos traçados no solo.

Como exercício, terá alguma serventia para o estudante experimentar as várias formas mencionadas, ten-

---

* Vide R. Laban: *Choreutics*. Publicado por Macdonald & Evans.

tando descobrir como é que elas se adequam aos estilos dos períodos. Também é valioso para o ator que este se familiarize com as formas de trabalhar, viajar, alimentar-se, dormir, cumprimentar e de outros costumes sociais de determinados períodos e em vários países. Ao praticar os exercícios, deve-se cuidar para que os seguintes pontos fiquem bem claros:

— O significado do movimento que se dirige para diferentes pontos do espaço;
— Expressões tais como a hilaridade ou a raiva, quando o corpo está esticado para cima ou curvado para baixo;
— Se as características do movimento pertencem a um movimentador alto, médio ou baixo;
— Giros abrindo ou fechando;
— Movimentos simétricos ou assimétricos;
— A natureza dos desenhos de chão;
— As formas dos gestos de braços e pernas.

O estudo da história do comportamento humano sugere um certo paralelo entre o desenvolvimento do sentido do movimento, no transcurso da história de vida do indivíduo, e o progressivo aprimoramento do conhecimento do movimento, no decurso da história da humanidade. O desenvolvimento das primeiras sacudidelas do corpo, característicos da primeira infância, até o domínio estilizado de movimento, usado pelo adolescente, pode ser comparado ao desenvolvimento das danças primitivas até as dos tempos modernos. Não é ininterrupta a linha da evolução tanto no desenvolvimento do movimento infantil quanto no dos hábitos de movimentos das comunidades, na dança. Evidencia-se em ambas a volta, em termos de uma espiral, de estilos mais primitivos. Após a descoberta de cada nova combinação de esforço que, para um período, é venerada como a perfeição dos hábitos de movimento, ocorre um retorno temporário a formas mais primitivas pois se percebe que a especialização num número restrito de qualidades de esforço tem lá os seus perigos. Se, por exemplo, é cultivado com exclusividade o toque leve ou a leveza, degenera-se a força do corpo. Se saem de moda os movimentos grandes e flexíveis, cristaliza-se a rigidez. Se se torna objeto de exclusiva preferência o extremo sustentamento* na conduta e na dança, fica prejudicada a capacidade para uma decisão e uma ação rápidas. Ocorre o mesmo quando, na nossa época, a velocidade passa a ser um ideal. A excessiva indulgência no elemento de rapidez do movimento gera problemas nervosos. Uma flexibilidade excessiva demonstrada em movimentos tortuosos, tal como se verifica em algumas épocas da história, cria um estado de agitação inimigo de qualquer tentativa direta de abordar coisas e idéias. A mobilidade de serpente poderá induzir a fuga de temas diretos e claros. A brutalidade social e individual freqüentemente relaciona-se à glorificação da força física.

A preferência por umas poucas combinações de esforço apenas resulta numa falta do equilíbrio de esforço. Essa falta nem sempre é notada a nível consciente, mas as pessoas, cansadas de uma dada moda de movimento, tentam introduzir formas novas que, bastante freqüentemente, contêm qualidades de movimento em acentuado contraste com as que estavam sendo previamente usadas. Novas danças e novos ideais de comportamento aparecem segundo um processo de compensação, no qual é feita uma tentativa mais ou menos consciente de reconquistar o uso de tipos de esforço negligenciados ou perdidos. Esta é uma tendência que pode ser observada em nossos dias. As formas européias de danças contemporâneas de salão têm suas origens na irrupção dos estados de ânimo primitivos de dança que se contrapuseram à nossa rigidez tradicional. Do maxixe ao fox-trot, charleston, rumba e jitterburg, um frenesi cada vez mais acentuado no movimento parece ter

---

* N. da T. — *Sustentamento* refere-se ao fator de movimento: tempo, sustentado.

invadido os bailes europeus; apesar disso, a cada oportunidade, o excesso de mobilidade nessas manifestações de esforço é domado e reduzido a formas mais calmas, até mesmo rígidas.

Pesquisando eras ainda mais antigas da história, vemos que todo tipo de danças exóticas foram introduzidas quando as formas de movimento anteriormente em voga se tornavam muito esteriotipadas e desequilibradas. Muitas vezes essas mudanças nos ânimos de esforço se seguiram a eventos históricos como, por exemplo, guerras ou conquistas; ou foram introduzidas pelos exploradores que viram-nas ser executadas por povos primitivos. As danças mouras seguiram-se às Cruzadas e as danças dos Peles-vermelhas seguiram-se à descoberta da América. Mais recentemente, presenciamos a introdução, no balé clássico, de passos das danças folclóricas e das formas de movimento predominantemente eslavas quanto à sua origem. São poucos talvez os que sabem que as guerras napoleônicas criaram a moda de se dançar na ponta do pé, ou melhor, na ponta dos sapatos. Este era um aspecto das danças dos guerreiros Tcherkess, presenciadas pelos exércitos franceses, durante a invasão da Rússia. A introdução desta maneira quase acrobática salvou o balé clássico do perigo de um sentimentalismo doentio e de uma manifestação, destituída de significado, de ornamentações lineares delicadamente interligadas. A rígida tensão induzida no bailarino pela maneira acrobática de dançar nas pontas dos pés foi posteriormente corrigida pela introdução de movimentos mais impulsivos, tais como os que se vêem no assim chamado balé moderno.

O que muitas vezes escapa à atenção é que estas alterações não se originam dos caprichos comerciais ou artísticos de instrutores de dança espertos; devem outrossim, ser consideradas como verdadeiras compensações que respondem à profunda necessidade de manter vivo o equilíbrio de esforço, no âmbito amplo dos hábitos de movimento da dança social. Tanto no decorrer da história de vida de um indivíduo quanto ao longo da história do gênero humano, há um evoluir ininterrupto na direção do domínio do equilíbrio do esforço. Este é um domínio que vai sendo gradualmente alcançado; porém, aqui novamente pode dar-se que o exagero das recém-descobertas possibilidades de movimento provoque o surgimento de modismos e de estilos temporários, nos quais a preferência desigual por apenas algumas qualidades do esforço ponha em perigo seu uso bem-equilibrado.

O estudante deveria tentar inventar cenas nas quais encontrasse aplicação prática, o seu conhecimento das várias causas da estilização do movimento. Estas cenas podem ser sérias ou ser apenas caricaturas e devem ser executadas, exercitadas, analisadas e atribuídas a caracteres especificamente imaginados. Podem ser cenas escolhidas ao acaso. A imaginação trabalha livremente e às vezes parecerá irracional. O aluno não deverá hesitar em pôr em prática até os lances mais bizarros que surgirem em sua imaginação, acautelando-se apenas para tentar organizá-los de modo tal que consiga apresentar uma representação clara dos personagens, de seus valores e das situações, tendo em vista que cada seqüência de mímica transforma-se finalmente num todo bem concatenado. Alguns desses "flashes" imaginativos terão uma natureza onírica enquanto que outros serão acentuadamente realistas. Os acontecimentos lógicos da vida cotidiana podem ocasionalmente ser enfatizados de modo dramático, como no melodrama. Aqui, acentua-se o conteúdo emocional e os eventos terão um caráter além do comum. No melodrama, um acontecimento extraordinário se segue a outro, enquanto que no dia-a-dia as coisas excitantes apresentam-se mais dispersas. Acontecimentos em estados oníricos são freqüentemente bastante vívidos e até mesmo fantásticos, mas, na vida em geral, mesmo que coloridos mais fortemente pelo melodrama, os eventos e as ações pouquíssimas vezes são sentidos nesta intensidade. É óbvio que o estilo de movimento de uma cena do cotidiano, comparativamente vazio de eventos, trará diferenças em relação ao estilo dançado do melodrama. Enquanto que no primeiro caso prevalecerão os movimentos de sombra, no segundo serão usados movimentos mais ativos e amplos. Não há regra passível de ser estabelecida para o comportamento, na terra dos sonhos da imaginação teatral.

Indicam-se, nas cenas seguintes, algumas situações simples. A tarefa do leitor é torná-las interessantes através da expressão dos movimentos. As ações corporais características, (vide capítulos 2 e 3) devem ser inventadas e os conteúdos dos valores das cenas devem ser analisados e postos em prática várias vezes seguidas. As cenas nas quais há várias pessoas envolvidas podem ser realizadas pelo leitor se ele imaginar os movimentos dos co-atores; além disso, cada uma das partes pode ser feita em mímica uma após a outra. Alguns dos exemplos de personagens envolvidos com certos acontecimentos e situações poderão eventualmente estimular a imaginação do leitor para que ele invente suas próprias cenas de mímica.

1) Imagine um pai e uma filha sentados lado a lado, ambos lendo. Ouve-se uma batida na porta. A menina atende à porta e entra um homem em estado de total exaustão. Na realidade, é um prisioneiro fugitivo, que desmaia ali no chão. A filha vai buscar água enquanto o pai se dirige para o telefone, a fim de chamar a polícia. A filha, apiedando-se do homem, intercede por ele junto ao pai, dissuadindo-o de telefonar. O intruso mal havia se colocado em pé quando se ouve uma segunda batida na porta. A menina se volta para o prisioneiro na intenção de escondê-lo em outro cômodo quando, para o seu horror, o homem cai morto. É o pai quem atende à porta. A polícia havia chegado.

2) Outro tema. Um mendigo adormece na calçada.

Sonha que mora num palácio. Está numa sala ricamente adornada de tapeçarias e mobiliada de maneira exótica. Profundamente assustado, ignora os tesouros artísticos e se dirige para uma mesa comprida recoberta de iguarias. A fome o dilacera e, feliz por estar sozinho, come como um lobo tantos manjares quantos agüenta. Subitamente, as estátuas de mármore da sala tornam-se animadas e avançam ameaçadoras em direção do coitado. Neste instante, ele acorda e se vê ainda na calçada, grato por não ser mais do que um pobre mendigo.

3) Um tema de tonalidade melodramática mostrará cortesãos reunidos na sala do trono de um palácio real. Entram o rei e sua comitiva. Este confere o grau de cavalheiro a dois de seus súditos. Entra um escravo que se prostra aos pés do imperador. Segue-o de perto um homem enorme e de aparência feroz que tem nas mãos um açoite. Os cortesãos rodeiam ambos os intrusos e procuram afastá-los dali. O rei ordena-lhes que parem. Aproximando-se do homem do chicote, arrebata-o de suas mãos, quebra-o e determina que seja preso. O rei ordena ao escravo ajoelhado a levantar-se e partir, na qualidade de liberto. Prossegue a cerimônia da corte.

4) Uma empregada tirando o pó de uma sala poderá ser o tema que aborda ações do cotidiano em conjunto com uma fantasia assustadora. Enquanto admira um vaso ela o deixa cair, quebrando-o em mil pedaços. Horrorizada com o acontecido, olha à sua volta a ver se não haveria alguém que pudesse ter ouvido o barulho e, rapidamente, recolhe e guarda consigo os fragmentos. No suspense que se segue, imagina-se na corte judicial, o juiz apontando-a com o indicador. Três homens, representando seu patrão de três formas diferentes, estão de um lado e, de outro, três mulheres representando sua patroa. Toda uma multidão circunda-a, acusando-a em altos brados. Subitamente, desfaz-se o feitiço. A patroa entra na sala e percebe de imediato

que há algo errado. A empregada corre para ela, mostra-lhe os fragmentos e pede perdão, o qual lhe é generosamente concedido.

5) Uma ação trivial do dia-a-dia será vista no seguinte tema: um contínuo chega no escritório. Trazem-lhe uma pilha de formulários, em cada um dos quais deverá escrever as mesmas palavras. Enfadado, ele pára exatamente no momento em que o chefe do escritório entra e o conduz a uma mesa abarrotada de altas pilhas de livros e papéis para serem organizados. Enquanto o rapazinho se vê às voltas com esta monótona tarefa, o patrão entra na sala. Num ato de extrema ousadia, o rapazinho junta toda sua coragem para se queixar ao patrão da falta de sentido de seu trabalho, ao que lhe é peremptoriamente ordenado que faça como lhe mandaram ou então que passe no departamento pessoal para pegar o aviso prévio.

6) O tema seguinte é de tipo semelhante. Uma longa fila de pessoas está formada à frente de um almoxarifado para receber pacotes de comida. É distribuído o último pacote e uma mulher com três filhos fica sem recebê-lo. Uma outra mulher, que havia recebido o seu, presencia o sofrimento da outra e hesita entre a pena que sente das crianças esfaimadas e o pensamento de seu marido que está doente. O marido sente a sua ansiedade. Divide então o pacote, oferecendo metade dele à sua mulher e a outra metade à mulher com as crianças, ficando sem nada para si. Uma das crianças corre para ele, ofertando-lhe sua bonequinha.

7) A cena seguinte será mais melodramática. Vários homens entram numa sala, sozinhos e aos pares. Juntos planejam um crime e depois se separam. Um dos comparsas fica encarregado de guardar uns documentos importantes. Está profundamente absorvido em seus pensamentos quando entram dois detetives. Traiçoeiramente, dá as informações todas sobre seus com-

panheiros, sendo recompensado. Saem os detetives e ele outra vez está sozinho. Tranca-se na sala e, agitado, atravessa-a de um lado para o outro, em passos nervosos. Ouve, nesse instante, uma batida na porta. Rapidamente constrói uma barricada com cadeiras, contra a porta, o que não impede os outros cúmplices de entrar no aposento; neste momento, o traidor suicida-se com um tiro. Uma apressada busca deixa claro o fato de que os documentos estão em outro local. A quadrilha então se dispersa.

8) Um tema que envolva dança poderia começar com uma princesa que estivesse escrevendo uma carta para um de seus favoritos. Chega seu tutor e anuncia a chegada de uma delegação real. Relutante, ela se ergue. Os cortesãos entram e humildemente se inclinam. A princesa, ainda relutante, avança em direção deles. Voltando-se para seu tutor, informa-o de seu desejo de ficar sozinha; saem todos. Ela quer ficar sozinha para poder dar asas à sua imaginação e deleitar-se com uma visão em que se vê dançando com os seus favoritos todos, que ela sabe estarem sem exceção apaixonados por ela; e, também na imaginação, regalar-se por um curto instante com a vida descuidada e pouco contida de uma mulher mundana, amante dos prazeres comuns.

9) Tema de natureza fantasiosa ou onírica poderia ser o de um menino preguiçoso, que está sentado a uma mesa. Quatro empregadas se revezam (cada uma delas deverá ser representada por um personagem diferente) em oferecer-lhe pratos apetitosos para ver se despertam sua falta de apetite. Cada uma das ofertas é recusada. As empregadas preparam-se para tirar a mesa. Entra o pai do menino e, sem sucesso, tenta persuadi-lo a levantar-se. O pai caminha de lá para cá em franco desespero. Chama então um empregado e ordena-lhe que os músicos venham até ali. Chegam os músicos e põem-se a tocar. Reanimado pela música, o menino se

levanta e começa a dançar, primeiro com uma das empregadas, depois com outra. O pai ordena que todos os empregados se reúnam no baile improvisado. Estes vão ficando exaustos, mas o patrão exorta-os a prosseguir. Volta o apetite do menino após este violento exercício e os empregados têm dificuldade em satisfazer sua fome voraz.

10) Outro tema melodramático e de tonalidade fantasiosa poderia ser a representação de um tirano egocêntrico que estivesse entrando num salão. Ordena a alguns serviçais que construam uma plataforma, a outros que pintem novamente as paredes e a terceiros que decorem o salão com arbustos floridos e árvores. Aumenta o número de trabalhadores e durante o tempo todo o tirano compele-os a trabalhar cada vez mais rapidamente até que, cansado de seu tresloucado capricho, ordena de súbito que cessem toda atividade. O trabalho feito desagrada-o e ordena, portanto, que o salão seja restituído à forma antiga. Após cumprirem esta ordem, os trabalhadores saem, deixando o egoísta entregue às suas reflexões.

11) Um devaneio ou visão é o que se descreve no tema a seguir. Duas irmãs entram carregando uma cesta de frutas para sua velha avó. Tendo-a acarinhado com alegre demonstração de afeto, partem as moças ficando só a velha senhora. Sonhando de olhos abertos, vê-se dançando uma valsa animada no salão de baile de uma mansão no campo, repleta de pessoas. Aproxima-se dela um belo e jovem rapaz e ela, agora rejuvenescida, levanta-se para dançar com ele a próxima música. Desaparece a multidão e eles dançam sozinhos. Ao término da música, o jovem ajoelha-se e beija a mão de sua dama quando, de repente, surge o pai da moça diante deles. Afasta-se o rapaz e a jovem é acompanhada por seu pai até seu quarto. A visão se desfaz e a avó fica entregue aos seus pensamentos.

12) Na próxima cena misturam-se sonho e ação do

cotidiano. Um músico paupérrimo, tendo acabado sua execução pública, entra numa loja para vender seu violino. Guardando no bolso a quantia recebida pela venda, sai da loja desesperado, pois estava separando-se de seu tão amado instrumento. Como se estivesse sonhando, vaga pelas ruas. Faz um frio terrível e ele não tem alternativa senão entrar em outra loja para comprar um agasalho. Mais uma vez na rua, desolado e só, sem seu violino, dá seu agasalho recém-adquirido a um mendigo escassamente vestido.

13) O tema que vem a seguir poderá ser realizado com variações. Uma jovem prepara a mesa para a volta de seu irmão. Toca a campainha. Ela vai atender à porta e volta com um telegrama informando que seu irmão havia sido morto. Ao ouvir os passos de sua mãe, ela oculta o telegrama em seu bolso e sai da sala. A mãe entra, presa de grande excitação. Deixando de lado sua sacola de compras, despe o agasalho e dá os retoques finais à mesa. A filha torna a entrar na sala e as duas se abraçam. A mãe estranha o ar da filha mas crê que é devido à excitação pela volta do irmão. Olha-se então no espelho e decide que deve trajar-se convenientemente para a ocasião e assim sai da sala. O pai chega do trabalho e a filha imediatamente lhe exibe o telegrama. A mãe torna a aparecer, cumprimenta o pai e este lhe dá a notícia. Abatidas, mãe e filha limpam a mesa. Uma variação desta cena poderia ser feita com mãe e filha apreensivas e inquietas a princípio, recebendo um telegrama com boas notícias. A cena poderá terminar do mesmo modo que esta, as duas limpando a mesa, mas com a família toda engalanada, como em dia de festa, para receber o parente há muito afastado.

14) Um sonho com conteúdo de movimentação realística poderia ser o de uma mendiga esfarrapada, que já fora bonita, mas que estava agora encarquilhada e maltratada, coxeando ao longo de ruas desertas e escu-

ras, numa grande cidade, a esmolar um pedaço de pão. A mulher se encolhe no chão, ao lado de um muro de pedra, fracamente iluminado por um poste de luz. Ali adormece e, em sonhos, recupera sua vida anterior de riqueza e conforto. Ela e o príncipe (pois, na verdade, ela é uma princesa) estão na sala de recepção do palácio, junto com outros lordes e damas nobres. Como a princesa, o príncipe é bonito e popular e todos sentem prazer com sua vivacidade de espírito e maneiras graciosas; mas ele agracia uma das cortesãs com excessiva atenção. A princesa vai se amargurando com o ciúme e começa a cultivar a amizade de um certo nobre sábio e generoso, um dos altos oficiais do príncipe. A princesa não se mostra absolutamente cuidadosa em manter secretos seus sentimentos pelo rapaz. O nobre sente-se constrangido pela conduta da princesa e, guiado pelos ditames da estrita etiqueta da corte, fá-la saber que ele é um súdito leal do príncipe e que não se acha disposto a envolver-se em intrigas. A censura estudada do nobre instiga a princesa até à fúria. Presa de seu orgulho ultrajado e ao sentimento de solidão, caminha incessantemente em seus aposentos, maquinando uma vingança. Aos poucos vai se esboçando um plano em sua mente distorcida. Subitamente ela se detém. Desenha-se em seu rosto a malícia de um sorriso. Abrindo um armário secreto na parede, retira um pequeno frasco contendo veneno e oculta-o em seu vestido. Volta a sentar-se com toda a sua natural compostura e orgulhosa elegância. Chama sua serva com toques altos de sinete e ordena-lhe que traga os candelabros acesos e jarras de vinho. Neste instante, o príncipe entra com sua comitiva real e aproxima-se da princesa, cujos malignos propósitos jazem ocultos no mais gracioso e conquistador dos sorrisos. Os escravos servem o vinho e oferecem-no a todos e a princesa é vista no flagrante de despejar o veneno na taça do nobre. É então banida da corte.

15) Uma cena realista de mímica, contendo um evento extraordinário, é mostrada na cena seguinte: Uma velha senhora está tricotando ao pé da lareira. O fogo está baixo e ela sai para buscar lenha. Durante sua ausência, dois ladrões entram pela janela. Começam a roubar. Há um relógio que os dois desejam para si. Começam a discutir e acabam por lutar pela posse do objeto. A velha senhora retorna com o carvão, deposita o cesto no chão e põe-se entre os dois larápios. Cada um deles lhe pede o relógio. Ela consegue acalmá-los de algum modo, sentam-se todos e comem as frutas que ela lhes oferece. Sem que a observem, a senhora mistura um soporífero e o oferece aos dois homens. Estes o bebem e caem no sono. Em seguida, a mulher chama a polícia. Ela reaviva o fogo e senta-se ao lado. Novamente começa a tricotar. A polícia chega e encaminha os dois assaltantes para a prisão. A velha senhora fica tricotando.

PRODUÇÃO DE CENAS GRUPAIS

Além do esforço individual do ator-bailarino, há um outro aspecto característico da arte do movimento: o aspecto do grupo, o esforço incorporado necessário em todo trabalho teatral. O drama, a ópera e o balé são, cada um deles, o trabalho conjunto de atores, cantores, dançarinos e músicos reunidos numa equipe que tem por objetivo apresentar um trabalho artístico na forma de uma encenação teatral. Os poetas, compositores e coreógrafos entram com a idéia em torno da qual se cristalizam esses trabalhos de arte. Os produtores e maestros supervisionam e assistem a criação de uma atmosfera comum, incrementada pela decoração, pelo vestuário e pela iluminação. O público, a contrapartida do palco, compreende e aprecia o esforço conjunto da companhia como um todo e este todo tem uma forma e um caráter definidos. Isto quer dizer que cada um, o ator, o dançarino, o cantor e o músico devem adaptar seus atos individuais de movimento, incluindo os movimentos para a produção da voz, às condições da criação grupal. Tanto através do esforço individual quanto do esforço da equipe, o objetivo é atingir o público, parceiro essencial de qualquer representação. O dom, ou a habilidade adquirida, com que o artista produz os seus atos de movimento deve ser aprimorado pela habilidade de adaptar tal capacidade a exigências outras além das próprias. Estas outras condições são o texto da peça, incluindo as direções de palco, a decoração dentro da qual a encenação deverá ser efetuada, o grupo de atores ao qual se associa, as orientações dadas pelo produtor e, finalmente, e tão importante quanto os demais, o espírito do público ao qual se apresenta o trabalho. Todos estes fatores, inclusive o estilo da época da peça, do balé ou ópera, podem estar tão distantes do artista quanto o caráter que ele irá representar. O artista tem que se submeter às exigências do esforço grupal e de seu estilo unificado.

O produtor pode organizar vários agrupamentos de pessoas para expressar a conduta dos indivíduos, em situações definidas. Será melhor se o leitor dispuser de alguns parceiros com os quais possa realizar as seguintes cenas de mímica. É também um exercício excelente tentar transmitir ao grupo aquilo que você deseja, por meio de gestos apenas, de gestos sem palavras que os acompanhem. Os temas de movimentação que podem ser expressos desta maneira são os seguintes:

a) O ajuntamento de um grupo grande, no palco, segundo estados de espírito diferentes mas sempre coletivos; todos alegres, ou tristes, ou desconfiados, etc. Invente uma ação comum que pressuponha o estado de espírito escolhido para o grupo.

b) A execução de alguma ação simples, tal como: trabalhar, jogar um jogo de salão, sentar, levantar, recostar-se indolentemente. Ação comum não quer dizer que todos executem os mesmos movimentos. Pelo contrário, vários e diferentes movimentos harmonizam-se numa ação comum.

c) Uma reação grupal a uma das seguintes provocações: correr para um canto, alegres ou zangados; aproximar-se cautelosamente de um possível perigo e preparar-se para lutar; expressar medo ou indicar fuga. A provocação pode ser proposta por uma pessoa ou por uma parte do grupo todo.

Compare a coordenação das diferentes qualidades de esforço de várias pessoas movendo-se juntas. O movimento grupal terá uma forma, um desenho de chão ou uma direção geral ou tendência espacial.

d) Divisão em dois grupos hostis; um deles, cada vez mais indignado ou discordante do outro, deixa a cena enquanto o outro ou se acalma ou fica ainda mais excitado. Torna a entrar o primeiro grupo e tem lugar ou a reconciliação ou o conflito declarado. Vence um dos dois grupos enquanto o outro se resigna ou capitula.

Poderá ocorrer que um solista desafie, em lugar do grupo todo, a outra metade dos participantes; neste caso, o jogo de valores tornar-se-á mais óbvio do que nas cenas grupais anteriores. Poderá ser demonstrado, por exemplo, que alguns dos valores são inatingíveis. O covarde inveterado será para sempre alguém distante da coragem. Há, contudo, aquilo que se denomina a coragem do desespero e aí pode acontecer um milagre. Não obstante, há muitos valores à disposição do covarde que poderão compensar sua falta de coragem: a reflexão, a autodisciplina e o senso de ocultar sua covardia. À semelhança do covarde, dificilmente a pessoa indolente e ignorante mostrar-se-á cheia de energia, sem o concurso de algum estímulo extraordinário. A paciência e a gentileza podem mais facilmente transformar-se em raiva do que a ignorância em inteligência enérgica.

Tente representar esse desenrolar da luta pelos valores numa cena com movimento. Tenha em mente o estabelecimento das seqüências de esforço as mais apropriadas, para cada membro do grupo.

e) O assassinato é considerado, com justiça, o crime maior; seu contraste real, no entanto, que é o respeito pela vida dos demais, de modo algum é tido como a mais sublime virtude. Os valores do amor, da amizade e da confiança são valorizados muito mais do que o simples respeito à vida. À semelhança disto, o respeito pela propriedade é menos considerado do que a benevolência nas pessoas. Apesar disso, o roubo é mais objeto do que a malevolência. Atos ofensivos aos interesses materiais alheios são considerados como ignominiosos, infames e revoltantes, mas, respeitar os interesses materiais das pessoas parece-nos não mais do que algo decente. As ofensas contra valores morais como o amor e a amizade são encaradas com muito maior tolerância. São faltas, mas não faltas abjetas. As expressões de verdadeira amizade e amor, dado seu caráter inspirador e liberador, são exaltadas como as mais altas virtudes.

Invente cenas grupais nas quais se manifestem estas opiniões gerais sobre os valores.

f) Um grupo pode retratar uma expressão geral de exagerada alegria ou excitação, tendo como resultado o desapontamento. Este poderá ser provocado pelo fato curioso de que os objetos de valor material são divisíveis e passíveis de serem distribuídos e que, quanto maior for o número de contemplados, menos cada um deles recebe. Este fato contrasta agudamente com o fato de que os valores morais são indivisíveis e, apesar disso, cresce o seu montante proporcionalmente ao número de indivíduos que os exibem. Considere o conceito de amor universal. A alegria advinda do recebimento de bens materiais, assim como a inveja suscitada quando tais bens não são distribuídos, contrasta com a alegria do compartilhar valores morais e espirituais.

Invente cenas de grupo nas quais se retrate ou o estado de exaltação espiritual ou o de gozo de bens materiais e onde se revelem as conseqüências destes dois estados.

g) Mostre a reação grupal ao seu meio ambiente, tal como a solenidade que se sente em uma cerimônia religiosa; o intenso frio que faz tremer; a resistência à lei e à ordem; o assistir a uma palestra, seja aborrecida, seja interessante; o alívio vindo do fim de uma repressão; o pânico ante o perigo; a cupidez perante a distribuição de bens materiais.

Expresse, através de cenas grupais, como é que os conflitos sociais se baseiam em valores materiais e no desejo de tirar deles a maior vantagem, em nosso benefício, e como, ao mesmo tempo, a unidade social tem suas origens em valores espirituais indivisíveis que aumentam na proporção ao número dos que os compartilham.

A mímica oferece a ocasião para expressar conceitos espirituais e mentais, nas cenas com movimento. O ator médio talvez relute em reconhecer este fato e os intelectuais cheios de si pertencentes à atualmente moribunda escola Bloomsbury teriam até chegado a negá-lo. O conhecimento da expressão dos esforços e do mundo dos valores capacita-nos a provar para nós mesmos e para os outros que a linguagem do movimento não se restringe à representação de eventos físicos.

É recomendável que, a princípio, selecionem-se formas elaboradas de ações físicas comuns (sem implementos), tais como: construir uma represa ou um dique; arrastar-se numa floresta; tratar de feridos; ser um cirurgião realizando uma operação; ser um cozinheiro preparando uma refeição; ser uma doméstica em seus trabalhos caseiros; atuar como um grupo executando exercícios atléticos ou militares.

Quando se oferece ajuda aos outros, um sussurro emocional causará arrepios. Como é que isto se expressaria em termos de movimentos? São diferentes as duas modalidades de satisfação que acompanham a obtenção de valores de ordem material e moral. No primeiro caso, a satisfação poderá ser intensa mas, de alguma forma, manter-se-á superficial; no segundo ocorrerá muito mais profundamente. É a porção íntima do ser humano que responde aos valores morais. A equanimidade profunda e o equilíbrio interno de uma pessoa que geralmente se concentra na temática dos valores morais contrasta totalmente com a inquieta instabilidade sem descanso daqueles que se lançam à caça de objetos materiais. A nível individual, está claro que todos são livres para optar por um bolso cheio de dinheiro ao invés de buscar as profundidades equilibradas da personalidade. Mas o que dizer-se da escolha em si? É precisamente esta diferença de gostos que torna possível a luta pelos valores e, conseqüentemente, possíveis os conflitos dramáticos. Como é que se manifestam, nos movimentos, a equanimidade e o equilíbrio? É compreensível que a mera explanação verbal não consiga descrever exatamente a manifestação destas qualidades internas. Embora seja difícil descrevê-la em palavras, tal experiência interna pode perfeitamente ser expressa, através do movimento. A virtude do teatro reside, em grande parte, neste fato.

A rotina da representação teatral encaminha-se por si mesma para um número estonteante de observações dos movimentos. O diretor de cena e os artistas revelam, em vários estados de espírito, formas interessantes de conduta não só durante o espetáculo, como também antes de subir e depois de descer o pano. O ator que ou se atrasa ou se adianta excessivamente, nos bastidores; aquele que, já meio vestido, esqueceu parte de seu traje; o ator que deve ser contido ou estimulado pelo diretor; o ator sempre meticuloso em excesso; o aparentemente indiferente e o nervoso; e o que se vê tão afetado pelo medo do palco que chega ao vômito e ao desmaio. Todos eles são modelos excelentes de expressão de movimento. Como eles, o artista absorto em seu papel e que se comporta artificialmente como o personagem que irá representar, os rivais num papel que começam a discutir nos bastidores e o artista que necessita ser encorajado antes de poder entrar em cena, são todos bons objetos de estudo para o mímico. Observe o ator que entra pelo lado errado, que não consegue subir a escada, que cai, escorrega ou tropeça nos bastidores e no palco e que está todo preocupado com sua aparência. Esses infortúnios, acidentes e vaidades tão corriqueiros resultam de atitudes humanas interiores ou se fazem acompanhar delas. Qual é a diferença entre uma representação tosca e burlesca de tais cenas e uma representação mais sutil do sofrimento delas decorrente? A nível psicológico, poder-se-ia dizer que o sentimento de compaixão, ausente na representação de pior qualidade, está presente na de melhor. Porém, as cenas burlescas e de pastelão não evocam freqüentemente um sentimento de compaixão mais forte do que o fazem as de nível melodramático mais sério? E das duas apresentações, qual seria a mais ridícula?

Estes pontos são de bastante interesse na mímica, pois esta é a atividade em que as pessoas são cômicas com total seriedade; o artista absorvido por seus negócios particulares, o que fica com conversa mole o tempo todo; o que flerta; o que cambaleia, intoxicado, pelos bastidores; artistas em greve; aqueles outros que criticam a iluminação, o cenário, a produção e tudo o mais, exceto sua própria atuação; os artistas super-ansiosos em apresentar suas falas, que irrompem pelos vestiários a arrumar os trajes, que refazem a maquilagem, provocam distúrbios no grupo, nas cenas finais no palco; o que tenta forçar as chamadas, corre pela boca do pano e depois recua para trás no palco. Quais esforços e valores subjazem a todos estes acontecimentos? Observe os atores atendendo à chamada para entrar em cena: alguns conservando o personagem, outros mudando para um estado de ânimo pessoal de excessiva amistosidade ou excessiva auto-afirmação e aqueles ainda que começam a exibir muita mobilidade ou muita rigidez. Observe o ator desanimado e descontente com sua atuação e falta de êxito; note o comportamento do elenco; do público; as discussões entre colegas e com o diretor, com o pessoal da iluminação e com qualquer outro indivíduo que possam encontrar para começar uma briga;

o artista presunçoso bastante satisfeito consigo mesmo e com sua atuação; o outro, que é invejoso, estimulado por hostilidade profissional ou particular; o artista mais do que jovial que abraça e beija todo mundo indiscriminadamente; o que esquece suas chamadas ou que empurra os outros para a boca do palco, sem a menor consideração; o discretíssimo; e o sentimentalóide que derrama copiosas lágrimas depois que baixa o pano. Poder-se-iam desenvolver muitas cenas resultantes deste tipo de material. As reações do diretor de cena a tais atuações, assim como as controvérsias entre ele e os artistas podem ter uma tonalidade burlesca, cômica ou séria.

O esforço e os movimentos humanos são os únicos meios de ação; produzem situações e constituem o veículo das mudanças na vida e no drama. São tão incontáveis estes acontecimentos quanto o são as estrelas da Via Láctea. Motivos semelhantes podem ocorrer repetidas vezes; todos eles, no entanto, têm seu protótipo num tipo de mito que abarca toda a multiplicidade da tragicomédia básica da existência.

CENAS SIMBÓLICAS

Um tema grandioso poderia ser aquele do conflito entre dois grandes mistérios: Vida e Matéria. Pode-se visualizar a Vida como estando ativamente envolvida com Peso, Espaço, Tempo e Fluência, enquanto que a Matéria estaria passivamente submetida aos ditos fatores. A Vida tira da Matéria o seu peso. O primeiro impulso da Matéria, galvanizada pelo impacto da Vida, é a fonte de todas as venturas e sofrimentos insuspeitos da humanidade, tal como relatados pela história e que os dramaturgos usam em sua arte. Não há ser vivo capaz de escapar a este refletir dos motivos fundamentais, em sua vida individual. Ser concebido e nascer, crescer corporal e mentalmente, amadurecer e morrer — eis o vasto e abrangente movimento do drama de paixão que é o destino de todos nós. O meio essencial de expressão humana — o movimento corporal — acompanha, portanto, o esquema fundamental de vida e existência. Cada um dos movimentos tem seu momento de concepção e nascimento, de crescimento e envelhecimento e, finalmente, de desaparecimento no passado e no nada. É uma verdade fundamental que a aparente crueldade deste motivo primário da ação dramática é suavizada pelo sorriso que confere à Vida uma delicadeza essencial. Nós somos impelidos a rir; o riso, porém, compõe-se de tragédia e de comédia porque, ao rirmos de nosso destino, somos levados a concluir que, de modo algum, o homem não é tão importante quanto ele gosta de se imaginar. Acabrunhados, percebemos que os mesmos gestos que usamos para expressar nossas mais elevadas aspirações também servem por vezes aos mais sórdidos objetivos. As lágrimas vertidas nos momentos trágicos da vida parecem ridículas a muitos de nós e é freqüentemente sinistro o nosso riso, frente a situações cômicas, porque em ambos os casos lembramo-nos de que não passamos de átomos neste vasto mundo. O materialista inclina-se a considerar sua própria existência e também seus esforços e movimentos como algo de pouca valia, perante este radiante e agitado universo estelar, e que ele não é mais do que uma partícula de matéria posta acidentalmente em movimento. O materialista está errado. A Vida e seu generoso sorriso recordam-nos igualmente de que a crueldade superficial da existência nos torna mais cuidadosos e autoconfiantes em todos os tipos de situações, de modo que a aparente maldade parece, de certo modo, funcionar para o bem, oferecendo boa dose de esperança aos idealistas de nossa raça. O corpo material do homem é como uma bigorna onde, incessante, bate o martelo da Vida. Um desconhecido ferreiro parece estar ocupado forjando uma obra-prima, ainda irreconhecível. Nesta misteriosa operação, que é o meio pelo qual se forma o caráter, as lágrimas e os risos voam como fagulhas e suas centelhas iluminam a obscuridade da oficina do ferreiro. O homem vislumbra então o indeciso esboço de um ser, que pode reconhecer como o Ferreiro, e tem uma vaga intuição da obra-prima que ele ainda virá a ser. Essas insinuações assomam, às vezes, no teatro, mas não podemos deixar de admitir que aquilo que realmente vemos ali e ouvimos são os movimentos de trabalho de atores, cantores, dançarinos e músicos. A crua nudez dos movimentos vê-se transcendida por um esforço imaginativo por parte de todo um grupo de artistas e é este esforço, oriundo das profundezas de suas personalidades, que nos transmite tais insinuações. A transfiguração imaginativa de um esforço, a partir da qual flui espontaneamente um movimento, é fator indispensável à nossa liberação da monotonia cotidiana e à recriação do espírito que temos em mente atingir nas encenações teatrais. Desejamos ver a vida de um ângulo novo e, desta forma, entender mais completamente as violentas batidas de nossos próprios corações. Imersos como estamos na perspectiva comum da multidão, desejamos esquecer nossas preocupações e interesses individuais e rir ou talvez chorar. Perguntas ansiosas afloram em nossos corações. Nossos desejos podem ser realizados e as nossas perguntas podem ser respondidas por um grupo de artistas, indivíduos que aprenderam a dominar sua química pessoal de esforço e a coordená-la com a do grupo. Este feito não pode ser conseguido apenas por meio de uma disciplina mecânica. É evidente que seus corpos devem ser treinados para a tarefa, a fim de que tenham condições de criar formas e sombras de ações imaginárias; suas criações, no entanto, devem simbolizar e estar repletas de um nível de vida aquém e além da percepção sensorial.

Parece ser um mistério como é que os sentidos, os olhos e ouvidos do espectador, possam ser levados a perceber aquilo que está acima e abaixo de suas impressões sensoriais. Uma companhia de atores, cantores e dançarinos de gabarito consegue, sem dúvida alguma, fazer com que o espectador compreenda mais do que aquilo que ele efetivamente vê ou ouve. Isto, porém, torna-se menos surpreendente se compreendermos que o penetrar nos mistérios da Vida é algo intimamente relacionado à aquisição de qualidades bem-definidas do sentido do movimento. Curiosamente, há uma similaridade profunda entre o processo de produção de movimentos habilidosos e o processo da produção artística. O uso generalizado da palavra "arte" para uma ação habilidosa em qualquer tipo de atividade humana denuncia um desejo secreto dos homens. Mas uma ação habilidosa nem sempre está relacionada aos níveis mais profundos da vida. O virtuosismo completo, apesar de raro, em termos comparativos e, portanto, dotado de um certo valor, mantém-se muitas vezes como um tipo de excelência exterior. O trabalho no palco exige mais do que uma capacidade meramente mecânica. O fluir harmonioso do movimento nos gestos, na voz e nas palavras é governado por leis que se manifestam no estranho mundo dos valores subjacentes, revelados através das lágrimas e risos, no teatro. Um artista pode exibir um certo virtuosismo para a satisfação de seus desejos egoístas, sem incomodar-se muito com o nível de veracidade interna que as formas de seu movimento possam revelar, o que minimiza sua capacidade de provocar a reverência perante a vida, profundamente escondido no íntimo do espectador. É verdade que o virtuose não se incomoda muito com o sentimento de reverência do espectador pela Vida. Seu nível de satisfação é atingido quando consegue provocar admiração suficiente para lhe permitir extrair poderes e riquezas de tal sentimento. Ele não fica com qualquer drama de consciência porque, ao cegar as pessoas com seus dotes ofuscantes, poderá estar ocultando a importância da Vida ao invés de revelá-la. Não chega nem a notar que sonega o alimento espiritual pelo qual tantos anseiam. Esse artista fica bem contente em satisfazer seus prazeres mais superficiais, e está totalmente satisfeito com o sucesso externo. A mitigação do mais profundo anseio do público exige uma atitude e um refinamento de esforço totalmente diferente daqueles parcialmente oferecidos pelo virtuose. Ainda um grande número de pessoas hoje em dia acredita que todo o ensino e treino do movimento consiste na aprendizagem de truques com o corpo e que o objetivo deste treinamento é exibir o brilho vazio tão ao gosto do virtuose. Isto demonstra que a maioria das pessoas não tem a mais pálida noção do que sejam a forma e ritmo do movimento de palco; e não têm consciência do mais profundo propósito ao qual busca servir.

O movimento é um processo pelo qual um ser vivo se capacita a satisfazer uma gama imensa de necessidades interiores e exteriores. O ator-cantor-dançarino produz movimentos no palco que resultam em gestos, sons e falas. O repertório de movimentos abarca todo o âmbito de ação através da qual satisfazem-se as necessidades cotidianas; há, no entanto, uma diferença marcante entre o comportamento diário e aquele exibido no palco. Não passa de uma meia-verdade dizer-se que a Vida é a realidade e que as encenações teatrais não passam de um faz-de-conta. Se o "faz-de-conta" quer dizer que o ator tenta criar na mente do espectador alguma espécie de crença nos significados mais profundos da Vida, significado oculto atrás da aparência externa, então a afirmação é verdadeira. Mas não se poderia concordar que a tarefa do artista é induzir o espectador a acreditar que sua representação é apenas uma cópia simulada dos eventos da vida diária. Felizmente, isto é impossível porque, como todos os movimentos, os fatos têm que ser cuidadosamente escolhidos e integrados num todo se se deseja apresentar um trabalho eficiente de criação teatral. Além disso, a seleção e a organização devem ser realizadas de maneira especial para que seja evocado um estado de espírito definido no público e para que este se conscientize de alguma nuance particular do significado da Vida. Então, e somente então é que se torna possível, com o auxílio da peça e dos movimentos nos quais consiste sua representação, plantar no coração do espectador a semente da qual possa crescer uma flor do jardim interior. Poderá acontecer até que uma fruta venha a ocupar o lugar da flor; a fruta que se configure numa nova atitude perante a Vida. O poder de fazer com que as pessoas acreditem em coisas quase que inefáveis reside inteiramente na capacidade bem cultivada do artista para o movimento.

CAPÍTULO 7

TRÊS PEÇAS MÍMICAS

O TEXTO escrito de uma peça oferece ao ator uma base sólida para seu trabalho. É verdade que o diálogo de um drama não é tudo de que se tem necessidade. O ator tem que traduzir a palavra escrita em movimentos audíveis e visíveis. O teatrólogo fornece-lhe indicações tão exatas quanto possível referentes aos personagens, às situações e aos valores pelos quais lutam as pessoas do enredo. Algumas vezes também, o dramaturgo dá indicações de ações e movimentos. Estas indicações, contudo, mostrar-se-ão incompletas e superficiais, se comparadas às palavras exatas que serão emitidas.

O dançarino em geral tem alguma música na qual fundamenta seu trabalho. Lá encontra um ritmo e um estado de espírito e, em alguns balés, também se apresenta um resumo dos principais acontecimentos. O coreógrafo é quem principalmente auxilia o bailarino quanto à organização dos "passos". Os "passos" e movimentos do balé clássico têm nomes e, desta maneira, o dançarino pode exibir uma imagem relativamente clara das evoluções corporais que ele deverá realizar. O conteúdo mímico mais sutil vem parcialmente indicado no resumo do balé. Os bailarinos que criam suas próprias danças têm que encontrar a música apropriada ao tema dos movimentos que pretendem representar, caso decidam não fazê-lo em silêncio, isto é, sem acompanhamento. Neste caso, têm que inventar os "passos" e os movimentos segundo a música escolhida; caso contrário, deverão ter uma música ou som especialmente compostos, que irão sustentar adequadamente sua coreografia. Isto é o que freqüentemente acontece no balé moderno.

Na dança moderna, quer dizer, na forma contemporânea da arte da dança, não se estabelece uma composição a partir de um conjunto fixo de movimentos ou "passos", mas as concepções de elementos do espaço e de elementos de esforço são um guia para se formularem as ações corporais. Para muitos bailarinos modernos, a "dança literária", aquela cujo conteúdo pode ser descrito num resumo, não é dança de modo algum mas, sim, dança-mímica. Os movimentos familiares ao espectador devido à sua semelhança com os que se usam nas ações e comportamentos cotidianos são suspeitos a esses dançarinos modernos. Acreditam estes que o conteúdo real das danças jamais poderá ser descrito em palavras e, portanto, abominam os movimentos de dança que possam ser compreendidos intelectualmente. Acentuam-se, na dança moderna, aqueles aspectos da natureza humana que antecedem a fala e as palavras e que estão fora da esfera de qualquer recordação pessoal de acontecimentos reais ou eventos da luta normal da vida, com as reações emocionais logicamente inerentes a tal luta. Na pintura moderna, o assunto ou tema é abstraído das impressões sensoriais ordinárias, recebidas do mundo exterior. Do mesmo modo, o dançarino abstrato ou moderno tenta transmitir um *"insight"* de um estranho mundo espiritual que lhe é peculiar. Presume-se que este mundo constitua a "herança primária do espírito humano corporificado", nas palavras de um bailarino contemporâneo. A dança, para estes artistas, é a manifestação daquelas forças internas a partir das quais brotam as complicações dos acontecimentos humanos. Eles não se interessam pelas situações, eventos e conflitos da vida prática, nem tampouco pela forma realçada que o drama confere a tais conflitos, ao retratá-los. Acreditam eles que podem cavar ainda mais fundo na realidade que subjaz às experiências ordinárias da vida e que a dança é a linguagem pela qual pode-se transmitir ao espectador esse nível mais profundo de conscientização. O tema de todas as danças abstratas consiste exclusivamente no desenvolvimento de um ritmo característico de movimento, à medida em que vai se desenrolando através de alguns caminhos no espaço. A impressão que o espectador obtém destas formas ou desenhos espaciais ritmicamente progressivos e desenhados no ar pelo corpo humano, de modo algum é apenas um arabesco ornamental. Caso fosse, teria apenas um valor decorativo de beleza exterior, mas lhe faltaria qualquer significação mais profunda.

Os dançarinos modernos e os entusiastas da dança moderna vêem nestas evoluções no espaço o mensageiro de idéias e emoções que ultrapassam os pensamentos passíveis de serem expressos em palavras. É óbvio que os movimentos que traduzem estas experiências internas devem ser cuidadosamente escolhidos e organizados em ritmos adequados às sensações interiores. Esta seleção resulta de uma concentração profunda e poderá envolver um esforço tremendo e prolongado. O fator mental ou intelectual restringe-se à memorização da série correta de movimentos, a qual é a conseqüência da seleção. Às vezes, dá-se um título a estas danças abstratas; este, porém, não indica conteúdo algum, apenas um estado de espírito. Uma dança abstrata não pode jamais ter um resumo porque seu conteúdo não tem condições de ser descrito em palavras. A idéia toda de modo algum é tão extravagante quanto poderia parecê-lo para as pessoas que antes nunca deram muita atenção para o problema. Na realidade, quase que todas as danças folclóricas tradicionais e as danças nacionais são abstratas. Ninguém consegue descrever o conteúdo, por exemplo, de uma "chaconne" ou "gavotte". Tudo o que se consegue descrever é a seqüência e o ritmo dos passos e os gestos que o dançarino tem de executar. O dançarino moderno reivindica o direito de criar invenções pessoais na dança, com base em seqüências de evoluções não convencionais de seu corpo. Desta forma, espera realizar uma espécie de invocação mágica ou encantamento dos poderes da vida. Estes poderes ou forças não têm nomes em nosso vocabulário contemporâneo, mas todos os conhecemos quando o encontramos na forma de incontáveis ímpetos interiores, atitudes, emoções e crenças. O homem atual oculta a experiência desses poderes. Provavelmente, ele sente vergonha ou mesmo medo de tais forças porque não podem ser intelectualmente explicadas.

Alguns bailarinos atuais tentam adotar a terminologia e os pensamentos da análise psicológica contemporânea, para descrever o conteúdo de suas criações. Defrontam-se com o dilema de empregarem tais termos, ou de acordo com seu significado científico aceito, ou de modo livre, num sentido quase que poético ou simbólico. No primeiro caso, o conteúdo da dança é intelectualizado do mesmo modo que ocorre ao empregarmos outras palavras com seu significado convencional. No segundo, seria necessário que o artista explicasse detalhadamente o significado dos termos empregados, o que também é impossível. Parece que todas as tentativas de se falar a respeito da luta entre as forças naturais, luta percebida em nível muito profundo, só teriam condições de acontecer numa comunidade onde houvesse uma terminologia filosófica ou religiosa aceita pela maioria. Todas estas considerações têm, por vezes, estimulado os dançarinos modernos a dançarem em silêncio, sem acompanhamento musical, permitindo que a linguagem do movimento fale por si mesma.

O mímico não encontrará quase que nada escrito em que possa basear seu trabalho. Em comparação com o grande número de peças de teatro acumuladas ao longo dos séculos, na literatura dramática, e com o igualmente vasto acervo de músicas de danças, pode-se dizer que a literatura sobre mímica é virtualmente inexistente. É da maior dificuldade desencavar as poucas sinopses de antigas peças mímicas espalhadas aqui e acolá pelos tratados históricos sobre o teatro, ou em outros livros. Não existe uma tradição quanto à composição de peças de mímica. Um artista que deseje criar uma peça do gênero está completamente abandonado à sua própria intuição e criatividade. A invenção de cenas mímicas curtas não é assim tão difícil e esperamos que os exemplos esboçados nos capítulos anteriores tenham proporcionado ao leitor o incentivo necessário para criar essas cenas. Uma peça mímica mais longa, que consiste de várias cenas ou atos poderá talvez contribuir com novas perspectivas para o estudo da arte do movimento no palco. Portanto, acrescentamos ao presente texto alguns esboços de peças mímicas. Poderão proporcionar ao leitor a oportunidade de acompanhar desenvolvimentos coerentes de esforços bem como alguns conflitos de valores, em âmbito bem amplo. Esses croquis de peças mímicas não são trabalhos de arte. Não pertencem nem à poesia, na qualidade de literatura dramática, nem tampouco sua ritmicidade intrínseca lhes permite reclamar aquele tipo de valor musical que uma peça de música tem. Um bom esboço de mímica tem a tarefa razoavelmente negativa de omitir todas as situações e idéias que não possam ser representadas pelo movimento. Poderá surgir a modalidade artística de peças mímicas escritas, se as pessoas se derem ao trabalho de aprender a escrever e ler textos de mímica, anotados segundo uma nomenclatura exata para movimento.

Os leitores que houverem estudado e assimilado o conteúdo dos capítulos anteriores deverão estar em condições de apresentar um conjunto preciso de movimentos a serem empregados na interpretação de um enredo de mímica. As três descrições verbais de peças mímicas inseridas neste texto estão colocadas apenas de maneira bem sumária; a tarefa do mímico é preenchê-las com um perfil de ritmos de esforço dotados de vivacidade e expressos em movimentos definidos. A interpretação, seja ela rica e imaginosa ou pobre e monótona, é o verdadeiro ato criativo. Ultrapassa de longe o escopo deste livro a intenção de apresentar uma descrição minuciosamente detalhada das interpretações possíveis das sinopses que se seguem, bem como das seqüências de movimento que lhes seriam apropriadas. É preferível que o leitor resguarde sua liberdade de criar a própria versão, encontrando os ritmos de esforço e as ações corporais que caracterizariam a personalidade em atuação e seu comportamento, em determinadas situações.

O primeiro esboço apresentado aborda o antigo tema da "Flauta Mágica", mais conhecido na forma de ópera de Mozart. Já se escreveu muita coisa sobre o significado simbólico desta estória, que é considerada uma transcrição artística de um antiqüíssimo ritual de iniciação. Estes rituais têm todos uma idéia básica comum, apesar de suas formas exteriores variarem segundo as diferentes raças e épocas da história. A idéia básica é a de introduzir os adolescentes na conscientização das poderosíssimas forças vitais que os impelem ao amor, à ambição e à satisfação da curiosidade. O resumo aqui oferecido conta apenas o início da estória: como é que o jovem Tamino obtém sua flauta e a primeira vez em que faz uso dela. A luta subseqüente de Tamino com todos os elementos da Natureza, bem como a aquisição posterior de uma mentalidade madura, seria o conteúdo dos outros atos adicionais da peça, não apresentados aqui.

A BUSCA DE TAMINO

Tamino e seus companheiros, que o reconhecem como seu líder apesar da pouca idade, chegam a um local desolado, pedregoso e inóspito. Vão entrando nos arredores desconhecidos com ar apreensivo e amedrontado.

Ao cair de uma enevoada tarde, um arbusto solitário à beira de um penhasco rochoso assume a forma de um gigante abaixado. Está ameaçando uma forte tempestade; o barulho que vem de sua formação junta-se ao que chega do oceano próximo e parecem fundir-se ambos numa voz sobrenatural, que repete monotonamente um misterioso cantochão de encantamento. É a voz do gigante, Monostatus, servo da Rainha da Noite.

Monostatus foi enviado com a incumbência de armar uma cilada para o mais corajoso dos jovens, o qual a Rainha da Noite deseja usar para seus propósitos secretos.

Tamino desconhece tudo isto mas, como é o único que se mantém firme e resoluto diante do poder desconhecido, é o escolhido por Monostatus para ir ao encontro da Rainha da Noite.

Após seus companheiros terem sido varridos para muito longe pela fúria da tempestade, cessa o cantar enfeitiçado e aparece acima da cabeça de Tamino o firmamento azul-profundo, coalhado de estrelas. É o manto da Rainha da Noite que chama o gigante Monostatus e ordena-lhe que agracie Tamino com a flauta mágica. A Rainha não aparece para Tamino; tem seus próprios planos de como entrar em contato com ele.

Tamino está exausto e se afunda nas ásperas raízes do solitário arbusto; envolve-o profunda escuridão. Ao acordar já é madrugada, e a névoa encobre o arbusto; o gigante Monostatus desapareceu. Tamino encontra a flauta mágica no chão, a seu lado. Está ao mesmo tempo confuso e perplexo, mas tenta tocá-la; as notas encantadas de seu novo tesouro reanimam-no. Empolgado com a beleza de sua melodia, dança a perder de vista num transporte de alegria e felicidade.

Novamente aparece a Rainha da Noite, mas seu manto majestoso se dissolve na bruma da manhã. Com aguçada astúcia, assume a aparência de uma velha mulher envolta num tecido cinzento que suas servas teceram com a bruma. Neste disfarce de velha senhora, a Rainha da Noite se acocora e aguarda Tamino.

Este reaparece contente, tocando sua flauta. Ao ver

a velha, aproxima-se lentamente, apiedado de sua penúria.

A Rainha finge assustar-se com o súbito aparecimento do jovem e simula surpresa ao ver um moço tão bonito vagueando sozinho pelo desértico planalto. Ela dá a impressão de desejar saber o quê ou a quem está o rapaz buscando, tão distante de qualquer grupo humano.

Tamino sabe tão-somente que está buscando alguma coisa, mas não atina com o que seja. A velha mostra-se amarga. Fixa miseravelmente o olhar à sua frente, sabendo que o que ele busca é algo que ela perdeu. Tamino oferece-lhe ajuda para descobrir o paradeiro de seu tesouro perdido; neste momento, a mulher tira de dentro das dobras de seu manto um reluzente cristal. Tamino ergue o cristal até à altura de seus olhos, admirado com sua luminosidade igual à do arco-íris. Ao voltá-lo em direção do horizonte iluminado pela rósea luz do sol matinal, Tamino vê na pedra a mais bela imagem que seus olhos já haviam presenciado: a visão de uma jovem. As delicadas nuvens a meio caminho entre céu e Terra, raiadas de dourado, assumiram a forma de Pamina, filha da Rainha da Noite.

De imediato, o jovem apaixona-se perdidamente e vê-se preso a incontido desejo de chegar até ela. Esquecido do cristal, vai escalando os caminhos rochosos daquele lugar no intuito de tocar a encantadora aparição. O cristal cai no chão e se quebra em mil pedaços. Desaparece a visão.

Em seu desespero, Tamino implora à velha que lhe explique a natureza da visão e lhe diga onde pode encontrar a maravilhosa criatura que o tocara tão fundo em seu coração.

A mulher ergue-se agora em toda sua altura, lançando fora o manto cinzento que a disfarçava. Boquiaberto, Tamino está defronte à majestosa Rainha da Noite. Compreende então que a jovem que avistara é a filha da Rainha, Pamina. Implora-lhe que o leve até à moça, mas a Rainha ordena-lhe que recobre sua compostura, que se sente e aguarde.

Ela se afasta em direção a um canto rochoso da planície, enquanto que no canto oposto aparece, ao fundo, a figura majestosa do rei Sarastro, seu marido, o Senhor da Luz. Pamina ajoelha-se aos pés de sua mãe, enquanto esta tenta encobrir os olhos da moça para que não veja o pai, Sarastro. Há uma contenda entre a Rainha e Sarastro, pois cada um deles deseja orientar Pamina segundo seus próprios princípios. A Rainha da Noite, confiante em que sua filha escolherá a ela, pede a Pamina que tome uma decisão, quanto a qual dos dois deseja seguir, o pai, Sarastro ou a mãe, a Rainha.

Afastando-se de sua mãe, Pamina vaga insegura, presa da dúvida e do desespero, mas a força de espírito de seu pai é maior e ela busca abrigar-se em seu braço. Sarastro desaparece, levando a filha pela mão.

A Rainha mostra a Tamino quão amargo é o seu desapontamento e o jovem entende então que o tesouro perdido pela velha mulher é sua filha. Fica sabendo também que Pamina é o objetivo de sua busca.

À vista da frustrada e vingativa rainha, o rapaz deseja correr para o local onde desapareceram Sarastro e Pamina. Mas a Rainha o detém e, hipnotizado por seus olhos faiscantes, cai aos seus pés como morto.

A Rainha chama por Papageno, meio pássaro, meio homem, que chega saltitante, pulando, dançando em volta de uma rocha enquanto vai alegremente tocando sua gaita. A Rainha deixa Tamino entregue aos cuidados de Papageno que, em seguida, começa a acordar o jovem adormecido. Tamino esfrega os olhos ao ver o surpreendente homem-pássaro e pensa que deve estar sonhando. Papageno inclina-se alegremente para cumprimentá-lo e Tamino responde com cortesia. Este deseja esclarecer se Papageno é realmente um ser vivo, mas o homem-pássaro é muito rápido para Tamino. Papageno desaparece velozmente. Toda vez que Tamino tenta tocá-lo, ele sai correndo numa direção diferente. Até que chega um momento em que dançam juntos e os seus passos vão ficando cada vez mais rápidos. Finalmente Papageno aponta na direção de uma brilhante réstia de luz no horizonte e Tamino percebe que o homem-pássaro tem condições de levá-lo a Pamina. No entanto, não consegue acompanhar o ritmo de Papageno, que desaparece. Tamino fica ali incapaz de se mover, como se alguma barreira invisível o impedisse de continuar.

Aproxima-se solenemente um estranho barbado, que parece um alto sacerdote de um culto desconhecido. Tamino não tem certeza de quais serão as intenções deste homem, mas logo sente que a imponente aparição está tentando ajudá-lo. O alto sacerdote aponta para uma porta grande e pesada. Trata-se da entrada de um local misterioso no qual Tamino tem certeza de que Pamina está escondida. Por meio de uma dança solene e poderosa, o importante sacerdote mostra as dificuldades e perigos que aguardam todo jovem que se aventure na busca. Todos os elementos estão contra aquele que tenta penetrar no lugar encantado. Há um círculo de fogo e um círculo de água que devem ser transpostos e o solo é tão instável e traiçoeiro quanto as nuvens no céu.

Mas Tamino põe-se resoluto em pé, enfrentando o desconhecido. Ávido, deseja dar continuidade à sua jornada. O homem barbado, ao ver a força de propósito do rapaz, volta-se com lentidão e lhe indica com um gesto largo e terrível, a estrada que deverá seguir, depois de transposta a porta que se abrira nesse momento.

Tomado de entusiasmo, Tamino avança mas percebe que as coisas ao seu redor estão continuamente mudando, como se fosse um redemoinho. Aonde quer que se volte não consegue enxergar nenhum caminho fixo; fica assim incapaz de discernir por qual caminho seguir. Freneticamente, volta-se para a direita, para a esquerda e dá voltas pela movediça paisagem. No momento exato em que acredita estar totalmente perdido, Papageno salta à frente dele, como que saído da turbulenta atmosfera. O homem-pássaro o conduz ao longo de um caminho tortuoso e quase que invisível, primeiro por um lado, depois por outro, cada vez mais rapidamente, voltas e mais voltas, até que de súbito, se detém; e lá está Pamina, perdida no mundo de seus sonhos.

Tamino pára e olha fixamente para a visão que reconhece como sendo a mesma que havia enxergado no cristal. Ele é arrebatado por sua beleza. A moça é imensamente mais adorável do que ele imaginara ser possível. Mal se atrevendo a respirar, aproxima-se dela, suavemente, mas ela não se move. Ele novamente se aproxima dela mas, com sua cabeça dobrada sobre o peito, ela apenas faz um simples e demorado gesto de recusa.

Tamino está profunda e amargamente desapontado com aquele momento, pelo qual havia lutado e aguardado por tanto tempo, e que se mostrava tão diferente de sua ansiosa expectativa. Ajoelha-se aos pés de Pamina, pede-lhe, suplica-lhe, implora-lhe que olhe para ele, siga-o, acompanhe-o de volta para seu mundo. O rapaz já se esquecera de seu propósito de trazer a moça de volta para sua mãe; tudo que deseja é mantê-la para si, por todo o sempre.

Pamina, imersa em profunda amargura, causada pela inimizade de seus pais, desvia o olhar do impetuoso jovem e tristemente sacode a cabeça.

Tamino perde a paciência e fica zangado porque Pamina não corresponde aos seus sentimentos. Mal sabendo o que está fazendo, invoca o primeiro ente sobre-humano que o havia ajudado, Monostatus, o qual surge liderando um bando de selvagens guerreiros. Estes marcham organizados em fileiras cerradas, fortes e valentes, voltando-se na direção de Pamina a fim de capturá-la e levá-la embora. No exato momento em que estão a ponto de agarrá-la, Pamina ergue a cabeça e deita o olhar à distância, com um sorriso enigmático. Imediatamente, Papageno, o homem-pássaro, dá um salto para perto dela, vindo da direção do olhar fixo da moça. Tocando alegremente a sua gaita, dança em volta dos estupefatos soldados. A raiva e o azedume se desvanecem nos corações de Tamino e dos homens da guarda.

O grupo inteiro é tomado de assalto pela contagiante alegria da música e da dança do homem-pássaro, com exceção do gigante Monostatus, o qual permanece petrificado em sua sombria imobilidade. Todos — Papageno, os guerreiros, até mesmo Pamina — dançam ao redor deste rochedo de desolação, ao som do ritmo vibrante.

Tamino, apesar de se divertir com a situação, sente que sua tentativa de conquistar Pamina foi desvirtuada e resiste à vontade imperiosa de juntar-se ao exuberante grupo, conduzido por Papageno. Leva então sua flauta mágica aos lábios, como se a questionasse para saber como proceder naquele momento. A canção que sai da flauta se funde com a da gaita de Papageno numa melodia alegre e exuberante e Tamino, quase que a contragosto, começa a se aproximar com passos mais velozes de Pamina que continua bailando.

Mas ele não consegue alcançar a donzela porque os guerreiros e Papageno sempre se interpõem entre ele e Pamina. Monostatus desapareceu. Pamina, Papageno e os soldados também desaparecem.

Mais uma vez, Tamino vê-se só. Continua dançando sem conseguir parar até que, exausto, cai no chão e perde os sentidos, adormecendo profundamente.

Esta descrição não deverá ser usada como síntese destinada ao espectador, mas como um estímulo para o dançarino ou para o produtor, os quais devem encontrar as expressões apropriadas em termos de movimentos para apresentar a estória.

Tendo em vista esse propósito, poder-se-ia acrescentar um plano detalhado de desenhos de solo e seqüências de esforço, ou mesmo uma notação exata de todas as ações corporais, em cinesiografia. A música que indicasse o ritmo e o estado de espírito das várias partes do enredo estimularia ainda mais a produção. Também possível seria a discussão do significado simbólico deste "mito", "lenda", ou "ritual", ou seja lá qual for a denominação que se escolha para a estória. Cabe ao leitor ponderar qual seria seu significado simbólico e como representá-lo em movimentos.

A DANÇA DOS SETE VÉUS

A descrição verbal do conteúdo de uma mímica ou de uma dança-mímica pode assumir muitas formas diferentes. O que se segue são as notas de uma jovem bailarina com respeito à dança dos sete véus de Salomé, que executara. A estória é conhecida de todos. Herodes, rei da Judéia, pede a Salomé que dance para ele. Esta exige a cabeça do profeta João como prêmio para sua dança. O profeta é decapitado e trazem-lhe sua cabeça numa bandeja. Os apontamentos da bailarina descrevem os sentimentos e sensações a partir dos quais originaram-se seus movimentos, em resposta aos suspiros que, para ela, pareciam emanar dos lábios do morto. Ela ouviu a cabeça de João dizer:

"Salomé! Quando vi teus olhos pela primeira vez, no momento em que me avistaram e pousaram em meu corpo, enrubesci. Não por causa de timidez ou vergonha, mas porque recordei-me do animal que sou. Minha auto-atenção, há já tanto adormecida, foi então despertada."

"Salomé, eu te vejo, vejo-te tomar consciência de teu corpo, tuas pernas, teus seios, teus lábios. É em vão que tu me dás as costas. Eu te vejo por todos os lados, à tua volta toda e de dentro de teu sangue."

"A vergonha é a sombra da tua auto-atenção. Tu gostarias de ocultar teu corpo, mas onde o esconderias?

Tu não suportas enfrentar o meu olhar fixo — nem eu tampouco o consegui, quando te vi pela primeira vez."

"Abaixa os olhos e pareça tão desconfiada quanto o desejares, ou então olhe para mim com toda a altivez de uma rainha. Logo mais nossos olhos tornar-se-ão inquietos, como aconteceu com os meus, na primeira vez em que te vi."

"Esconda teu rosto em tua veste. Lança teu corpo ao chão e esconda tua cabeça. Eu não o fiz. Eu fiquei de pé, ereto, mas meu coração batia ansiosamente."

"Estava coberto de confusão; balbuciei e fiz movimentos desajeitados, estranhas caretas, bem sei. Agora é a tua vez! Teus olhos brilhantes e tua conduta excitada mostram-me que já se foi a paz de teu espírito."

"As observações críticas e o ridículo com que tu te dirigiste a mim, quando te vi pela primeira vez, além do orgulho e da admiração para os quais tu mudaste com tanta frivolidade não foram tão tocantes como o é teu atento olhar, agora."

"Tu sentes a fixidez do olhar em meus olhos quebrados, dentro de teu sangue? Tu tremes, tu gostarias de jogá-lo fora, para bem longe, afastar o meu fitar: em vão."

"Do mesmo modo que o teu olhar ficou em meu sangue quando te vi pela primeira vez, está agora o meu olhar em tuas entranhas."

"Tira o primeiro véu de minha cabeça. Era meu rubor."

"Ao ouvir tuas palavras bajuladoras e ao sentir tua aproximação, o teu toque em meu braço, minha timidez se transformou em surpresa, esta em sobressalto e esta em estupefação. Minha mente não estava mais tão distante do terror."

"Mas não foram teus dedos que me terrificaram: foi minha própria pele."

"Erga teus braços cada vez mais alto, do mesmo modo que eu ergui as sobrancelhas. Abra as acariciantes curvas de teu corpo do jeito que abri meus olhos e boca, tomado pelo pasmo e pelo medo. Beba as novas de minha revelação em teus lábios, como eu bebi o perfume letal de teus seios. Fiquei estonteado e aterrorizado comigo mesmo. Estonteada e aterrorizada tu haverás de ficar com teu medo."

"Balança tua cabeça de lá para cá e bata em teu peito como fiz eu ao te ver pela primeira vez. Fica imóvel, incapaz de mover um membro sequer, tal como fiquei com meu crescente terror frente à vida. Lança fora o véu de meu rubor e pula; pula bem alto: tu não conseguirás escapar."

"Eu não pulei. Estava algemado por cadeias de ferro. Só meu coração pulava em meu peito, cada vez mais alto. E abri meus olhos, cada vez mais aterrorizado. Foi então que consegui enxergar, ver o que é que tanto me amedrontava."

"Minha testa estava enrugada. Tu me perguntaste por quê. Não pude responder. Meus olhos foram olhar coisas longínquas. Minhas narinas abriram-se junto com minha boca. Precisei de mais fôlego para escapar ao terror que chegava a mim, partindo do calor do teu corpo. O intenso frio em meus braços e pernas está agora invadindo tua carne: podes senti-lo?"

"Meus músculos relaxaram-se mais e mais. Temi desmaiar, cair aos téus pés. Meu queixo caiu e sufocou-se em minha garganta o inaudível grito de alarme."

"Tu sentes meus dedos gelados em volta do teu pescoço? Chora, grita, urra! Eu não pude fazê-lo, quando te vi pela primeira vez."

"E ergui minhas mãos abertas acima de minha cabeça e toquei meu próprio rosto para cobri-lo, envergonhado de mim mesmo. Caí de joelhos, trêmulo — à tua frente — como jamais o houvera feito antes, salvo quando rezava. E orei para que eu parasse de sentir, de ouvir e de ver."

"Voa, fuja — se puderes — eu estou em toda parte. Tu estás te sentindo torturada e completamente enroscada; arrasta-te mais e mais perto de minha cabeça e despedaça-a completamente. Esse, o segundo véu é o véu de meu horror."

"Cresceu dentro de mim o desprezo por mim mesmo. Um nojo tal como se eu tivesse comido carne podre, tivesse cheirado o odor mais fétido, tocado a mais nauseante massa de cobras putrefatas, visto o rosto hediondo do nada. Engulhos e vômitos sacudiam minhas entranhas e eu ergui minha cabeça, curvei-a para trás e fechei meus olhos."

"Mostra teu mais profundo desprezo, tua majestosa arrogância, pequena Salomé, e olha para baixo, para baixo onde está minha cabeça solitária, aqui no chão, aos teus pés."

"Mas tu não conseguirás estar tão desdenhosa em relação ao meu crânio quanto eu o estava de mim mesmo e de meu intercâmbio com tua paixão, ao ver-te pela primeira vez. Desfaça-o, empurra-o, amassa-o, acaba com este nó que te entrelaça e prende, tecido por meus braços invisíveis ao teu redor. Foi assim que me senti — lembra-te, Salomé? — quando tentaste quebrar minha altivez pendurando teus macios braços ao redor de meu pescoço. Salomé, eu não senti desprezo por ti, então; desprezei, mas a mim mesmo."

"O desdém e o desprezo com que te afastei de mim foi a aversão por minha própria carne. Tu sentes, tu consegues sentir náusea de teu próprio e resplandecente corpo?"

"Tu parecias culpada com aquele teu olhar furtivo. Mas era eu o culpado. Eram monstruosos minha vaidade e orgulho. E pousavam sobre ti essa vaidade e esse orgulho. Encolhi meus ombros ao abaixar a cabeça, ocultando meu segredo. Meus olhos inquietos não conseguiam suportar teu olhar ofendido."

"E procuraste abrigar-te na astúcia; voltando a cabeça para a direita e os olhos para a esquerda, na minha direção, tu maquinavas uma maneira de vencer meu orgulho; desconfiavas da minha firmeza. Tu interpretaste o meu encolher de ombros como aquiescência; Salomé, era submissão."

"Mas empertigada e cheia de ti como um pavão ou peru, tentaste olhar para mim de cima para baixo, mas eu estava ainda mais no alto que tu, ainda mais altivo."

"Contraiu-se o meu pescoço e eu fiquei desamparado. Curvei-me para trás como um cão, pacientemente aguardando os golpes de seu amo."

"Tu me deste as costas, abandonando-me ao meu desprezo e ao nojo que sentia de mim."

"Erga, Salomé, o terceiro véu, o véu de meu orgulho quebrado."

"Meu desdém e ódio voltaram-se contra ti. A injúria sofrida por meu orgulho fazia meu pulso palpitar. Novamente corei. Meu peito alçou-se e minhas narinas tremeram."

"Como é que te rebelas contra ti mesma? É por não teres compreendido minha submissão? Tu odeias a tua própria e estúpida arrogância, tua falta de paciência?"

"Vejo teus dentes cerrados. Sinto a vingança do insulto que me fizeste na tensão dos teus músculos. A rigidez que antecede ao ataque. Ataca tu mesma, erga teus braços, fecha os punhos, dê socos em ti mesma, apunhala-te. Joga-te ao solo e esmurra a terra. Ameaça os céus e rasga em mil pedaços, com gestos frenéticos e despropositados, tudo o que estiver ao teu alcance."

"Foi assim que procedi, vítima de minha violenta ira, quando tu me deixaste, Salomé. Eu estava rolando no chão, berrando, chutando, arranhando e mordendo meus próprios braços, ao invés dos teus, que haviam ido embora."

"Mas não era paixão por ti, Salomé. Era a paixão de meu orgulho ferido."

"Comecei a tremer e meus lábios petrificados recusavam-se a proferir as imprecações que eu desejara endereçar a ti."

"Meu sorriso forçado se transformou numa violenta risada de ódio. Minha mente estava obscurecida pelo desejo de matar-te e a mim. A natureza bruta despertada pelo teu toque me sacudia convulsivamente. Não é tu quem se balança para trás e para frente, Salomé. É a minha vontade trabalhando em teu corpo frágil. meu ódio selvagem de ti e de mim."

"Meus olhos esbugalhados perscrutavam à distância, esperando alcançar-te, absorver-te, assassinar-te com o fulminante olhar de minhas pupilas dilatadas."

"Mas, nada. Nada. Vácuo. E o lusco-fusco da noite que se aproximava fazia-se visível na solidão de minha cabana."

"Puxa-o, o quarto véu, o véu de minha ira e de meu ódio, Salomé."

"Recuperei minha compostura e vi-me sentado de sobrolhos abatidos. Senta-te, Salomé, e pensa, pensa, pensa na nossa perdida absorção um do outro. Pensa no eterno obstáculo entre nós, pensa em nosso amor-ódio."

"Tu estás perplexa, temerosa, perseguida pelos pensamentos que dançam em tua cabeça. São os mesmos pensamentos que dançavam em minha cabeça, quando recuperei a razão e comecei a meditar no que havia sucedido."

"Que é que havia acontecido exatamente? Nada. Uma criança que brincava havia acendido fogo; os prejuízos podem ser reparados. O fogo pode ser extinguido."

"Tu estás torcendo o nariz, Salomé. Tu não acreditas que consigamos extinguir o fogo? Covarde! Tu te abaixas, esse torcer de nariz está tomando todo o teu corpo. Tu estás encolhendo, desaparecendo! Salomé, Salomé, fique. Ainda não terminou. Terminará um dia? Pensa, Salomé, pensa."

"Parece que tu estás lutando ao máximo para discernir algumas coisas bem distantes. Quais são elas? Seriam meus pensamentos que se encontrarão com teus pensamentos?"

"Busca, Salomé, busca."

"Tu fechaste os olhos. Tu não queres ver a luz. Mas dentro, Salomé, dentro, onde estou morando, eu, João, como se fosse um dragão numa caverna; na tua cabeça, Salomé, pega-o, segura-o entre tuas mãos, aperta-o, estourará. João, o dragão, estará livre, correrá para os céus e te deixará só, só sobre a Terra, só na companhia de teu mau-humor, do teu desespero, do teu assassinato."

"E eu, em meu ódio, desejei te assassinar, Salomé. Meus olhos tornaram-se vazios, apáticos. A dor que tu tens aí dentro ergue tuas pálpebras descaídas. Tu levas a mão à testa, à boca, à garganta. Tu dobras os braços sobre teus seios. Estás com frio, Salomé? É o sopro gelado de meus suspiros que te faz tremer. Feia, feia é a vida, a morte. Feio é o nascimento, o amor. Mostra o descaso, afasta-te disso. Fora com tão amargos pensamentos, com idéias tão torturantes, fora com esse enxame de moscas."

"O quinto véu é o véu da minha alma meditativa."

"Quando despertei esta manhã, Salomé, soube que te amava. A pequena réstia de sol que furtiva tocava a parede de meu tugúrio fez-me levantar e esticar os braços em direção da luz. Meu coração estava repleto de contentamento."

"Erga os braços, Salomé! Dança! Dança e dança sem qualquer objetivo e sem pensar no porquê. Isto é alegria, alegria de viver, a alegria da ternura."

"Bata palmas, bata os pés, ria! As crianças sempre riem quando estão brincando! A risada sem sentido à melhor risada. E foi assim que ri quando soube que te amava!"

"Os sorrisos e risinhos à-toa, de pura felicidade, quando se sente a suprema carícia da vida, este é que é o verdadeiro sentido da existência."

"Nunca antes eu o soubera, desde minha infância eu jamais dera uma risada. Que louco eu fui! E, enquanto era criança, ficava do lado de fora da brincadeira dos outros, coisa que eu não conseguia enxergar. Não podia entender por que eles riam. Mas agora eu sei. Tu me ensinaste a rir. Tu libertaste minhas enrijecidas articulações. Desejei que caíssem as algemas de meus punhos e tornozelos. Não porque eu desejasse ser livre, mas porque eu queria dançar."

"Mas não é doloroso o sacudir de teu corpo? Doloroso como o são as convulsões da morte? A vida e a morte sempre estão lado a lado, Salomé, dois gêmeos inseparáveis e tu me enviaste o outro."

"Mas tudo isto não adianta nada, Salomé, pois as solas de teu pés tocam delicadamente o chão sobre o qual jaz imóvel e inerte a minha cabeça. Não toque este solo aterrorizante que bebe o meu sangue! Não o toque! Teus delicados pés poderiam ficar manchados de sangue. Sacuda e enrola os dedos do teu pé e cessará o erguer espasmódico de teu peito. Não é medo, Salomé. Não é o terror da minha morte que contrai teus dedos. É o riso! É o amor!"

"As ilusões da tua riqueza, da tua posição social, da tua grandeza se desmancham em ti como eu desejara que se desmanchassem em mim as minhas algemas. Tuas coxas tremem prenunciando os saltos e vôos a que darão surgimento."

"Teus olhos claros e brilhantes iluminam intensamente teu rosto soerguido. Não te incomodes com meus olhos fechados! Mas fecha também os teus, Salomé, para o último êxtase."

"Tu tens vontade de tocar a minha odiosa cabeça. Aproxima-te, Salomé. Aproxima-te, terna e suave. Teu ajoelhar humilde, tuas mãos voltadas para cima, e o unir das tuas palmas mostram-me tua devoção. Chega mais perto, Salomé, mais perto de mim, mais perto ainda, e leva embora o sexto véu, o véu de meu amor."

"Após meu paroxismo de alegria, vi os dois soldados descendo até minha cabana. Que será que trazem? A liberdade que tu me prometeste se eu te beijasse — eu não o fiz — e que estou louco para fazer; terias estado a ler o meu coração?

"Jamais me defendi. Era muito orgulhoso e a vida me parecia sem valor. Mas agora, quando um dos soldados desembainhou sua espada — eu o compreendi — lutei violentamente, freneticamente, por minha vida."

"Mas meus olhos ficaram embaçados, ao pensar em ti, em tua juventude insensível e repulsiva e meu corpo estirou-se pela última vez, como eu desejara ter-me estirado na luz, fora do meu abrigo, para ver-te, Salomé, uma última vez."

"Quando tu vieres retirar o último dos véus, verás o arco inquiridor formado por minhas sobrancelhas. Estarão te perguntando: 'por quê?' Elas se congelaram nesta posição abarcando a última visão do terno arco formado por teus seios. As ondas das rugas que se estendem ao largo de toda a extensão de minha fronte são de ondas congeladas de um oceano de amor."

"Bata uma na outra as tuas mãos semi-fechadas, ritmicamente, sem te interromperes, interminavelmente, como se para todo o sempre. É a batida do tempo que cessou a jornada através de meu coração."

"Trabalha, trabalha com teus músculos tensos, durante todo o tempo em que viveres. Meus músculos também estão enrijecidos, mas não posso mais trabalhar. Não me movo mais."

"Os cantos de tua boca estão descaídos, como se padecesse de nojo, ansiedade e desprezo. Curva teu pescoço. Minha orgulhosa princesa, por quê esses golpes selvagens, tão diferentes da tua dança de contentamento, saltitando sobre a terra como as folhas de uma tempestade de outono?"

"Tu sentes meu desespero? Não o desespero de morrer mas o desespero de não mais te ver..."
"Chora, Salomé, e mistura tuas lágrimas ao meu sangue. Que possa viçar em teu coração a mais rara das flores da Terra: a verdadeira compaixão. Salpica o germe desta flor com o fluxo da vida de nós dois juntos, com tuas lágrimas e com meu sangue.
"E agora, Salomé, erga o último véu, o sétimo, com cautela e suavidade, o véu de meu desespero, e enterra meus lábios mortos entre teus seis em botão."

A dançarina que desejar traduzir esta descrição poética do conteúdo emocional em ações corporais tem de considerar o ritmo, o qual poderá ou não corresponder ao ritmo verbal. Além disso, a bailarina tem de considerar as sugestões dadas relativas a determinadas configurações de esforços. O texto contém igualmente indicações das formas espaciais. O ponto principal, contudo, será a tentativa de apreender o estado de espírito de cada passagem e descobrir as seqüências de movimento apropriadas, conforme o gosto de cada um.

A mímica que vem a seguir é um acontecimento razoavelmente realista.

Estão descritos no diário do produtor os grupos e movimentos de palco principais; também aparecem a ação ou conteúdo mímico de cada um. O leitor perceberá que a descrição dos grupos e movimentos deixa em liberdade a imaginação da pessoa, seja produtor, seja ator, o qual tentará concretizar a mímica.

É óbvio que também é possível estabelecer e descrever cada um dos movimentos em separado, com exatidão.

O XALE DOURADO

Cena 1

AGRUPAMENTOS E MOVIMENTOS

AÇÃO

1. A peça se inicia com um grupo imóvel de três pessoas. Estas estão de costas para a audiência. A formação do grupo e a tensão corporal dos indivíduos sugerem atenção e expectativa.

1. Quando se levanta a cortina, três moças olham imóveis em direção do mar. Uma delas é uma moça muito tímida.

2. Continuam imóveis quando entram os homens, os quais executam movimentos de trabalho. Os passos e ações relativamente calmos dos trabalhadores vão constituindo um movimento em crescendo, que conduz os olhos dos espectadores da imobilidade do grupo central, para a atenta rapidez de algumas mulheres curiosas que entram no palco no momento seguinte, depois de passarem pelo sustentado do movimento dos passos e das ações de trabalhar.
A tensão direta do grupo imóvel das moças é seguida pelos gestos flexíveis mas pesados dos passantes.

2. Entram dois pescadores e um deles chama um terceiro, o qual carrega no ombro uma rede de pescar. Este olha para as três moças mas, decidindo-se não se aproximar delas, avança em direção dos outros dois homens. Cumprimentam-se todos com cordial alegria e partem juntos, com seu equipamento de pesca.

3. Esta flexibilidade é incrementada pela leveza atenta da curiosidade perscrutadora exibida pelas mulheres que entraram.
O desenho de chão desta cena desenvolve-se a partir do ponto fixo onde estão de pé as moças imóveis para os caminhos relativamente simples e diretos dos trabalhadores e, mais tarde, para os passos cruzados e dispersos das curiosas.

3. Uma das moças em atitude de espera viu alguma coisa ao longe, no mar. As outras também se encaminham à frente, para ver aquilo que a companheira havia visto. Juntam-se a elas várias outras mulheres, filhas e esposas dos pescadores. Todas estas excitadas porque está se aproximando do porto um barco desconhecido. Algumas moças saem correndo para des-

4. Com a entrada de uma figura estranha, o desenho se concentra num grupo semi-circular formado à sua volta. O grupo imóvel das três moças desmanchou-se em surdina. A tímida se afasta para o fundo. O esforço novo da expectativa do grupo maior, que circunda o mascate, é dotado de vivacidade e contrasta bastante com a quietude da expectativa das três moças.

cobrir quem está no barco. As outras aguardam ansiosamente. Duas moças voltam rápidas, correndo, excitadas. Encontraram um mascate, vindo obviamente de terra estrangeira.

4. O mascate desconhecido entra acompanhado pelas moças. É um tipo de pessoa amigável, cordial, de bom-humor, e suscita forte curiosidade.
Ele exibe algumas de suas mercadorias, gesticulando com exuberância e as moças estão muito admiradas pelo que ele lhes vai mostrando.

Notas à Cena 1: As características acima mencionadas são todas acontecimentos de movimento. Os modelos de esforço mudam e se seguem uns aos outros, criando várias formas nos gestos individuais, bem como nas formações grupais. São executados uns poucos movimentos de trabalho reconhecíveis, mas ainda não se usou outro movimento convencional de mímica.

Cena 2

AGRUPAMENTOS E MOVIMENTOS

AÇÃO

1. O primeiro movimento desta cena consiste de várias danças curtas executadas por moças sozinhas que se afastam do grupo que rodeia o mascate e depois voltam a seus lugares. Cada uma das danças mostra uma modalidade distinta e específica de movimento, expressa por ações corporais, formas e ritmos correspondentes. Segue-se uma

1. Primeiramente, uma moça avança para comprar um cinto do mascate, depois outra, para adquirir um enfeite. Aproxima-se atrevida uma terceira para escolher um pente e, depois, várias se agrupam em volta do mascate para bisbilhotar suas mercadorias. Todas dançam, segurando os objetos comprados.

dança que envolve todas as moças, em três grupos, cada um deles em redor de uma das três solistas do primeiro movimento.

2. No próximo movimento, o mascate se aproxima da moça tímida ao fundo, estabelecendo-se longo dueto. O conteúdo da ação destas cenas é importante pela composição e alteração da expressão do dueto.

O caráter é indicado pela relutância da moça tímida em dirigir-se para a frente do palco e pelo apoio meio encorajador, meio desdenhoso, proporcionado pelo grupo de moças, por meio de evoluções concomitantes.

3. O próximo movimento é um solo do forasteiro que chama para si a atenção do grupo todo de moças, com exceção da moça tímida. As moças chegam bem perto dele.

4. Segue-se agora o segundo dueto entre o mascate e a moça tímida; desta feita, a moça ganha confiança e aceita a vestimenta que lhe é ofertada pelo mascate.

O conteúdo da ação é importante pela articulação dos movimentos, bem como por sua expressão.

2. Subitamente, o mascate vê a moça tímida ao fundo. "Quem é?", pergunta, mas as moças não respondem. Ela é por demais insignificante para ser notada.

O mascate se aproxima, pois acendeu-se seu interesse por ela. A moça tímida traça uns poucos passos hesitantes em direção do homem mas recua para o meio das outras moças que buscam agora animá-la a se aproximar do mascate.

3. O mascate causa uma agitação geral, procurando misteriosamente alguma coisa no meio de suas mercadorias e, finalmente, tira de lá um maravilhoso xale dourado.

Todas as moças admiram o xale, do qual o mascate também sente orgulho. A moça tímida se retrai, mas as outras amontoam-se em cima do homem.

4. O mascate insiste com a moça tímida para pegar o xale em suas mãos. Ela está excitada mas questiona-se o que pensarão as outras, se ela assim o fizer. Estas impelem-na a fazê-lo enquanto o mascate sente que está ganhando terreno. A tímida hesita, porém, dividida entre seu natural acanhamento e o desejo de ter nas mãos o maravilhoso tecido.

O mascate, então, sentindo-se

um pouco magoado, oferece-lhe o xale de presente.
De repente, a moça percebe o que está acontecendo e foge, embaraçada.
O mascate está aborrecido, e novamente chega perto da moça, toma-a pela mão e suavemente a conduz para a frente. A seguir, embrulha seus ombros com o xale.

Notas à Cena 2: É indispensável a esta segunda cena um acompanhamento musical compatível. A primeira cena poderia ser encenada sem música, ou com acompanhamento de ruídos de fundo que lembrassem o barulho do mar. Esta cena exige uma música alegre e ritmada.

Os diferentes caráteres das três moças compradoras expressar-se-iam em seus movimentos. Qualquer que seja o caráter por elas assumido, deve ser colocado em franco contraste com a timidez da outra moça que mais tarde ganha o xale. Quando o grupo todo corre para onde está o mascate, enquanto ele tira o xale dourado do meio de seus pertences, a surpresa e a admiração darão a característica central dos movimentos do grupo, numa tensão grupal expressiva. O primeiro dueto é interrompido por meio deste movimento grupal e, quando o mascate se aproxima da moça tímida com o seu presente, todas olham atentamente; o grupo que rodeia o mascate se abre totalmente para dar passagem à moça.

Ao ser retomado o dueto, os movimentos da moça tímida tornam-se mais vívidos, correspondendo à sua avidez em tocar o xale. Ocorre um aumento em sua vivacidade até o momento em que, com um movimento rápido, quase brusco, o mascate lhe apresenta o xale. Neste instante, ela recua para trás e está quase desmaiando, quando o homem a conduz à frente. Ao sentir o precioso xale sobre seus ombros, ela fica extasiada e manifesta seus sentimentos num rápido solo de dança muito leve e feliz; ao final, encara o mascate com uma expressão agradecida e modesta colorindo seu rosto.

Cena 3

AGRUPAMENTOS E MOVIMENTOS

1. Aparecem duas figuras novas. São mulheres de meia-idade, cujos movimentos tendem a seguir um caminho reto. Deste modo, o dueto final da segunda cena é desfeito. O grupo principal de moças acompanha a entrada dos novos personagens com movimentos mais angulares do que os usados até então.

2. O próximo movimento consiste em vários solos curtos de dança, das moças que, uma após a outra, aproximam-se do mascate e, a seguir, voltam a ocupar seus lugares.
As mulheres então ordenam à moça tímida que chegue até o mascate. Enquanto ela volta, ocorre um momento emocional distinto de tonalidade triste.

3. O mascate executa agora um solo curto de dança, carregando e balançando o adorno que a moça tímida lhe devolvera. Ele o atira para ela, que pe-

AÇÃO

1. Entram duas velhas esposas de pescadores, uma delas mãe da moça tímida, muito zangadas com a folia. A moça com o xale some de vista rapidamente, ocultando-se atrás das outras. As mães ordenam que devolvam ao mascate todas as mercadorias e disto riem todas as moças.
Desenrola-se um trio cômico entre as duas senhoras de meia-idade e o mascate.
As mães declaram que não têm dinheiro e não podem comprar as mercadorias, apesar de muito desejarem agradar suas filhas.

2. Uma após a outra, as moças devolvem suas compras, uma descuidadamente, outra com pena, outra jogando rudemente o seu objeto ao mascate.
A mãe vê sua filha com o xale. A moça agarra-se a ele mas a mãe insiste em que ela deve devolvê-lo. Relutante, ela o tira dos ombros e devolve ao mascate. Amargo é seu desapontamento e ela corre para sua mãe aos soluços. É bem evidente no rosto de todos o sentimento de pesar.

3. O mascate explica que pretendera oferecer o xale de presente, o que faz com que imediatamente se erga outra vez o ânimo da moça que olha à sua

ga o xale. O grupo das moças, dividido em dois, rodeia metade o mascate e metade a moça tímida.

Segue-se um solo de dança da moça tímida, que se transforma em dueto quando o mascate junta-se a ela. O grupo todo, além dos solistas, se detém, e olham com expectativa para a entrada de onde surgem os recém-chegados da cena seguinte.

volta maravilhada, mal podendo crer que o xale agora é verdadeiramente de sua propriedade.

Seus olhos não se desviam do mascate, enquanto este alegremente lhe joga o xale de volta. Ela o apanha com volúpia e dá voltas e mais voltas, em pleno êxtase. Enquanto atravessa o palco de lado a lado, todas as moças e suas mães compartilham de seu entusiástico prazer.

Enquanto se acalma o primeiro surto de excitação, a moça olha mais de perto para o mascate. Começa a questionar se, de fato, seria ela merecedora de um tal presente. Timidamente dança em volta do homem, observando-o com atenção o tempo todo e, ao afastar-se dele, este vai lento em direção dela e está quase que a lhe falar, bem como a falar com sua mãe, quando aparecem os pescadores que voltaram de sua pescaria.

Notas à Cena 3: Novamente é uma dança-mímica o aspecto coreográfico da terceira cena. Outra vez deve ser bem vivaz e alegre a música escolhida; apesar disso, deve receber a devida consideração o aparecimento e as ações quase que grotescas das mães. Os movimentos das mães e do grupo nesta cena diferem fundamentalmente dos empregados na delicada manifestação emocional ao fim da segunda cena. Esta poderá ter tido um caráter sustentado e ondeante, mas os movimentos desta terceira cena serão bruscos, angulares e energicamente acentuados. A devolução dos presentes ao mascate feita pelas três primeiras moças consiste, ainda outra vez, em solos curtos de dança nos quais o caráter pessoal de cada uma delas deve tornar-se manifesto com clareza. O mascate mantém-se ainda imóvel quando a moça tímida lhe devolve o xale. Começa, a partir deste momento, um novo dueto entre ela e o mascate. Juntam-se a eles as demais moças. Metade delas rodeia o mascate e dança com ele, enquanto que a outra metade dança com a moça tímida. Quando novamente se reúnem o mascate e a moça, que vão se achegando à mãe que, por sua vez, está hesitando, em pé, alheia à alegria geral, algumas moças advertem e anunciam a volta dos pescadores, que ainda não estão no palco ao terminar a terceira cena.

Como nas outras cenas, nesta também, é útil anotar e considerar a ascensão e a queda da expressão emocional. Esta cena, poderia ser descrita do seguinte modo:

Entrada das mães: excitação simulada.
Devolução das mercadorias ao mascate: moderado e ressentida.
Devolução do xale: pesado e dolorosa.
Mascate ofertando o xale de presente, dueto: alegria e contentamento crescentes.
Consentimento da mãe: solene, emocional.
Aviso do retorno dos pescadores: medo repentino.

Cena 4

AGRUPAMENTOS E MOVIMENTOS

AÇÃO

1. Entram vários homens, pesados e de passos lentos. A moça tímida dança delicadamente à volta e no meio deles.
Daqui para a frente, os movimentos tornam-se menos dançados mas os grupos ainda seguem um ritmo definido no espaço e no tempo.

1. Entram os velhos pescadores. Apresentam-se morosos e descontentes tanto devido à alegria das mulheres quanto à do mascate. A moça continua a dançar entre eles, usando o xale, mas incomodada por perceber os seus ânimos se exaltando.

2. Dois homens de meia-idade andam para a frente sem prestarem muita atenção às mulheres excitadas e amedrontadas. Seguem-nos vários rapazes

2. Entram os pais e neste momento a mãe rapidamente segura a moça tímida, conduzindo-a para trás das outras moças. Os pais fazem-se acompanhar

carregando e levando nas mãos implementos de trabalho.

dos pescadores jovens que carregam a rede e os equipamentos de pesca. Estão abatidos e de aparência miserável e lançam a rede ao chão, indicando, deste modo, que não pescaram absolutamente nada.

As mães, acostumadas a uma rede vazia, apenas lhes dão uma olhadela e, com o auxílio das moças, carregam-na para fora.

3. É encenado um trio formado pela moça tímida, uma das mulheres de meia-idade e seu marido (o pai da moça tímida); neste trio, o pai arrebata o xale dos ombros da filha.

3. O pai vê a filha usando o xale. Fica furioso. A mãe tenta aplacá-lo mostrando-lhe quão atraente está a filha, envolta na belíssima vestimenta. Mas o pai arrebata-o dela e o lança no rosto do mascate.

O mascate fica abatido e tenta explicar que pretendia fazer daquela peça um presente.

As mulheres avançam iradas em direção dos homens. Exigem alguma maneira de satisfação para suas vidas, modificando de qualquer jeito seu cotidiano. Os homens retrucam, acusando as mulheres de desejos egoístas, de ter vida mansa, quando eles estão arriscando as próprias vidas no mar.

O mascate tenta pacificar a situação e começa novamente a mostrar algumas de suas mercadorias para algumas moças e também para dois dos pescadores jovens que parecem mais interessados em seu estoque do que os restantes.

4. Segue-se um dueto entre o pai e o mascate; ao final, surge uma excitação generalizada que acaba por se transformar numa

4. Um dos pais avança selvático para o mascate, agarra-o e ameaça-o de uma surra, no que é impedido pelos demais ho-

luta entre ambos e todo o grupo de homens.

Em seguida, há um dueto entre o pai da moça e o mascate que é uma dança de luta. A crescente intensidade do movimento, durante a qual os dois adversários parecem alternar-se na vitória da luta, cessa repentinamente com o golpe final que o pai averta no mascate.

mens; estes seguram seu braço erguido e o puxam de cá para lá, na tentativa de separá-lo do mascate.

Isto continua até que o mascate consegue escapulir e, atacando primeiro um dos pais e depois cada um deles por sua vez, derruba-os todos no chão.

Finalmente confrontam-se o mascate e o pai da moça. Decorre daí uma luta de morte entre ambos, presenciada por todos os outros com profundo horror.

Subitamente, o pai dá no mascate um golpe tão eficaz que este cai no chão e todos julgam-no morto.

5. Depois da queda do mascate ao chão, o pessoal da aldeia fica de pé, imóvel, por um instante. Segue-se uma pesada e lenta procissão, na qual é transportado o corpo sem vida do mascate.

Saem todos, com exceção dos dois homens de meia-idade.

5. Reinam de imediato o silêncio e a quietude. Novamente vestida com o xale, a moça precipita-se e ajoelha-se ao lado do mascate morto. Depois de alguns instantes, quatro homens erguem o mascate e lentamente levam-no embora, seguidos por longa fila de pessoas que haviam presenciado a catástrofe.

Nem por um minuto pensam no pai que ficou para trás. Apenas um dos pescadores mais velhos fica de pé a seu lado. A mãe tenta persuadi-lo a voltar para casa com ela, mas em vão. Desconsolada, ela parte, ficando os dois homens.

Notas à Cena 4: É necessária, até este ponto da mímica, uma música de fundo semelhante à da primeira cena. Após o súbito silêncio que cai sobre o palco em seguida à morte do mascate, a cena deve prosseguir sem acompanhamento musical.

Cena 5

AGRUPAMENTOS E MOVIMENTOS   AÇÃO

1. Dueto dos dois homens de meia-idade que foram deixados para trás, no palco. Trabalham agitados com os equipamentos trazidos ao palco na cena anterior.

1. Ficam ambos de pé indecisos, o pai receando ser preso. Olha na direção em que foi carregado o corpo inerte do mascate, mas não há sinal de pessoa alguma.
Os dois homens voltam-se para olhar o mar, que lhes oferece uma liberdade temporária. Decidem partir numa pescaria noturna.
Começam a reunir seu equipamento e acender os lampiões pois vem chegando a escuridão.

2. Quase todo o grupo de homens, com exceção de alguns dos pescadores mais jovens, entra marchando com passos lentos e pesados, na direção dos dois homens de meia-idade.
Movimentos de mímica entre os dois solistas e o grupo. O próximo movimento é a saída coletiva dos homens pela mesma porta por onde haviam entrado na cena anterior.

2. Entram os outros homens e ficam olhando desconfiados o que os dois estão fazendo. O pai chega perto e diz-lhes que todos devem acompanhá-lo ao mar. Os homens estão desgostosos e aborrecidos com o pai por ter-lhes causado o problema.
Apontam para o céu, pressagiando uma violenta tempestade. Protestam contra o embarque, argumentando que seria uma loucura. O pai diz-lhes que estão todos correndo um grave perigo devido à morte do mascate. Após deliberarem entre si, os homens concordam e, com passos pesados, saem todos.

3. Precipitam-se as moças para o palco, primeiro de uma em uma, depois em grupos pequenos. Segue-se uma dança-mímica com movimentos balanceados de acalento, como se fossem empurradas de um lado para ou-

3. Uma das moças vê os homens, quando estão partindo. Implora ao último deles que pare com aquela loucura, mas em vão.
Ela dá o grito de alarme e chama uma segunda moça.

tro pela tempestade.

Entram as mulheres de meia-idade e o estado de espírito geral é de desespero.

Em meio ao grupo central que se balança para lá e para cá, ocorre um breve dueto entre uma das mulheres de meia-idade e uma das solistas — sua filha — feito de movimentos claramente discerníveis dos do grupo de fundo.

Várias moças correm na direção por onde saíram os homens.

A outra mulher de meia-idade se lança para o outro lado do palco.

A mãe entra e grita para os pais que voltem, mas eles já estão em seus barcos. Uma por uma as moças entram precipitadamente em cena e chamam seus namorados em voz alta, mas nenhum deles responde.

A mãe cai soluçando nos ombros de sua filha. Vem a tempestade acompanhada de trovões, raios e violenta chuva.

De repente, uma das moças vê um barco naufragar. O desespero se apodera de todas.

Uma das mães corre em busca de homens que queiram ir buscar os pescadores. Há um ansioso suspense.

4. Ela volta acompanhada por dois rapazes que haviam ficado para trás; quarteto de rápidas despedidas com as duas moças solistas. Saem os rapazes.

Entra o mascate. O grupo principal fica paralisado de terror. Dueto intenso e breve do mascate com a moça tímida. Saída do mascate.

Solo curto da menina tímida. O grupo principal continua sua dança de balanço.

4. A mãe volta com dois rapazes que se precipitam para o mar.

São seguidos pelo mascate que entra com a cabeça fartamente enfaixada, agarrado ao xale. A moça tímida corre para ele e tenta dissuadi-lo da arriscada tarefa de resgate, mas ele rapidamente dá-lhe o xale e segue os outros homens. A moça cai no chão, soluçando.

Notas à Cena 5: É necessário ruído de fundo para indicar a veemência cada vez maior da tempestade.

A dança balançada do grupo de moças não deverá ser muito curta e deverá seguir seu próprio desenrolar. Podem ser percebidas algumas indicações do conteúdo mímico dos grupos possíveis, durante a dança balançada, a partir dos duetos e quartetos inseridos na cena. O grupo principal, porém, presta apenas uma atenção parcial a esses momentos intempestivos de emoção individual.

Cena 6

AGRUPAMENTOS E MOVIMENTOS

AÇÃO

1. Termina de maneira abrupta a dança de balanço do grupo principal.
Vários dos homens mais velhos são arrastados para o palco.

1. Há um suspense ansioso e o primeiro homem resgatado é trazido por dois dos rapazes. Amontoam-se ao seu redor sua esposa e algumas das moças.
Trazem outro homem que é admoestado por sua mulher pela imprudência de haver embarcado com um tempo daqueles.

2. O mascate deposita o corpo no centro do palco, ajudado por uma das mulheres de mais idade,. formando um grupo que lembra a Pietá das pinturas medievais, onde o corpo de Nosso Senhor jaz estendido nos joelhos de sua mãe.
Breve dueto entre a moça tímida e sua mãe (que está sentada com o corpo do pai atravessado sobre seus joelhos).

2. A mãe da moça tímida espera seu marido. Está prestes a perder as esperanças quando o mascate entra carregando nos ombros o pai com que havia lutado e que se havia suposto o matara. Todos exibem um olhar apreensivo.
A mãe quase desmaia. Recebe apoio de um dos pescadores. O mascate deita o pai inconsciente nos joelhos da mãe, que está sentada.

3. O grupo de moças ajoelha-se em duas metades, à direita e à esquerda do grupo central (Pietá).
Os homens caminham solenes em fila, atrás do grupo da Pietá.

3. Todos pensam que o pai está morto.
A menina dá o xale à sua mãe, que o usa para cobrir o marido. As mulheres ajoelham-se para rezar, enquanto os homens se reúnem e andam muito lentamente atrás da mãe e seu marido.

4. Solo breve do mascate.
Dueto entre pai e mascate.
O pai, com o braço estendido, volta-se para o mascate. O mascate aproxima-se lentamente para encontrar-se com aquele e as pessoas formam um círculo estreito em redor dos dois.

4. No momento preciso em que a mãe está para cobrir o rosto do marido, o mascate faz um movimento súbito e arrebata o xale. O pai abre os olhos e olha à sua volta. Há um assombro profundo e generalizado.
O pai levanta-se vagarosamente e ergue os braços, dando gra-

5. O pai estende à frente com firmeza seu braço direito e, um por um, os homens agrupam-se num meio-círculo apertado, cada um deles estendendo um braço para o centro do meio-círculo e apertando as mãos uns dos outros.

6. Dueto do mascate com o pai. Dissolve-se o grupo dos homens. Dueto da moça tímida com o pai que, de pé no meio do palco, envolve os ombros de sua filha com o tecido.
Dois grupos de homens e mulheres se aproximam do grupo central formado pelo pai e pela filha, com os braços erguidos, como se formassem os arcos de um túnel acima das cabeças das duas figuras centrais. O mascate dá um passo à frente, em direção à moça tímida, com os braços abertos. A mãe da moça toca o ombro do rapaz.
Cai o pano.

ças. Afastam-se dele os homens e mulheres, maravilhados, como se houvessem presenciado um milagre.

5. O pai faz um sinal para os outros pescadores. Pergunta-lhes se eles também aceitam o mascate como seu amigo. A resposta não dá azo a dúvidas. Todos colocam suas mãos, uma a uma, sobre o braço estendido. A um sinal do pai, o mascate se aproxima e é admitido como membro da comunidade.
Aliviadas e agradecidas, as mulheres se aproximam do grupo de homens.

6. O mascate dá o xale ao pai que o apanha com aparente relutância e o segura à sua frente. Enquanto o pai faz esses gestos, o mascate olha para a moça tímida que silenciosamente chega mais perto, acompanhada por sua mãe; os outros abrem caminho para elas.
Quando a moça chega na frente de seu pai, todos levantam os braços na direção deles. O pai levanta as mãos e as repousa depois num gesto de bênção, sobre os ombros de sua filha.

Notas à Cena 6: Os sons que configuram a tempestade se acalmam e, após um curto intervalo de total silêncio durante o qual é formado o grupo da Pietá, é tocada uma música solene e harmônica de caráter religioso. A música prossegue até a cena final, quando o pai cobre a filha com o xale dourado.

LEIA TAMBÉM

CONSCIÊNCIA PELO MOVIMENTO
Moshe Feldenkrais

Agimos de acordo com nossa auto-imagem que é condicionada por três fatores: constituição, socialização e auto-educação. Feldenkrais nos abre um caminho através de exercícios fáceis que melhoram a postura, a visão, a percepção de si mesmo e a nossa relação com o mundo. É uma lição de amor e respeito ao corpo proporcionando a satisfação de vê-lo responder com presteza, facilidade e precisão. REF. 10101.

ESPONTANEIDADE CONSCIENTE
Desenvolvendo o método Feldenkrais
Ruthy Alon

Entre os estudiosos do movimento mais proeminentes neste século está Moshe Feldenkrais, criador do método que leva seu nome e autor de obras consagradas como *Consciência pelo Movimento*. Ruthy Alon é a herdeira intelectual de Feldenkrais, continuadora e enriquecedora de sua obra. Neste livro ela apresenta seu desenvolvimento do método. Em linguagem acessível, tece informações teóricas e experiências práticas, apresentando sugestões que permitam a pessoas com dores e restrições de movimento descobrir uma nova sensação de liberdade. REF. 10738.

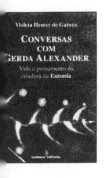

CONVERSAS COM GERDA ALEXANDER
Vida e pensamento da criadora da eutonia
Violeta Hemsy de Gainza

São entrevistas realizadas na Argentina e na Dinamarca, com Gerda Alexander, a criadora da eutonia. A autora desenvolve os principais conceitos do método, explicados por sua própria criadora. A obra contém relato de fatos pessoais de uma vida emocionante e atribulada. Importante leitura para os estudiosos da área, bem como para pessoas que queiram travar contato com o tema. REF. 10560.

www.gruposummus.com.br